Né en 1921 en Isère et mort en 2000 en Suisse, Frédéric Dard, un écrivain prolifique, connaît le succès avec les textes qu'il écrit pour le théâtre – il a longtemps travaillé avec Robert Hossein. Il a créé en 1949 le personnage du commissaire San-Antonio, narrateur et personnage principal d'une abondante série de romans qui ont obtenu un vif succès. Sous le prétexte d'aventures policières ou d'espionnage mouvementées, une galerie de personnages truculents, comme l'énorme Bérurier, dit Béru, ou le lamentable Pinaud, et surtout un style fait de calembours, d'inventions cocasses ou argotiques, ont donné à cette geste populaire et à Frédéric Dard une existence littéraire originale.

Frédéric Dard
(sous le pseudonyme de Max Beeting)

ON DEMANDE UN CADAVRE

ROMAN

Fayard

Ce roman a été publié pour la première fois par Frédéric Dard
sous le pseudonyme de Max Beeting en 1951 aux éditions Jacquier.

Remerciements à l'association des Amis de San-Antonio
pour le concours qu'elle a apporté à la réédition de cet ouvrage.

TEXTE INTÉGRAL

ISBN 978-2-7578-2746-8

CHAPITRE PREMIER

On sentait par bouffées âcres l'odeur du gel qui approchait. La nuit bleu acier brûlait déjà les oreilles de Buch ; elle était tranchante et blême comme le sont certaines nuits d'hiver dans cette partie de la côte anglaise. Parfois, pourtant, de lourds nuages boursouflés, semblables à des bêtes noyées, voilaient la clarté de la lune.

Les deux hommes avançaient sans parler. Ils pensaient à ce qui allait se passer et ils en avaient déjà tellement parlé qu'au moment d'agir ils ne trouvaient plus d'idées à échanger. À leur gauche la mer battait les récifs. Sa grosse rumeur furieuse emplissait les confins et partait, semblait-il, à la conquête des terres. À leur droite s'étendait une lande infinie, hérissée d'ajoncs et d'arbres nains. Le sentier qu'ils suivaient divisait deux univers absolument distincts et pareillement hostiles.

– Jamais vu une nuit pareille, ronchonna Steve.

– Bien sûr, dit Buch, d'habitude, à ces heures, t'en as plein les galoches et tu ne serais pas capable de différencier la nuit d'un paquet de Camel.

– Jamais vu un bled pareil, continua Steve.

Il parlait sur un ton geignard qui agaça Buch.

– Ça suffit ! coupa-t-il. Tu ne vas pas te mettre à déballer la liste de ce que tu as vu et de ce que tu n'as pas vu au cours de ta garce de vie. Moi, je vais te dire, Steve : la seule chose que je suis certain de n'avoir encore jamais vue, c'est une tête de lard comme la tienne. T'aurais pas peur, par hasard ?

Steve s'arrêta et approcha son visage de celui de son compagnon.

– Peur ? grommela-t-il. Jamais entendu un mot pareil…

Buch sourit. Il savait que Steve ne se vantait pas. Il le connaissait depuis toujours ; Steve était le genre de type qu'on aurait pu enfermer dans la cage d'une paire de tigres affamés sans qu'il fasse autre chose que sortir sa lime à ongles pour essayer de leur rogner les dents.

Ils reprirent leur avance, poussant devant leur bouche la petite vapeur blanchâtre de leur respiration. Soudain, le sentier s'écarta de la mer, la lande se fit plus clémente et, à quelques miles à droite, se dressa le clocher d'une église.

– C'est ce bled ? interrogea Steve.

– Oui. Prenons garde aux chiens. La nuit, ils n'ont rien d'autre à foutre qu'à flairer les passants, ces sales cabots.

Leur démarche devint prudente. Ils évitèrent l'entrée du bourg et contournèrent le village en direction de l'église. À cet instant la lune sortit de derrière des nuages filandreux et éclaira la lande sur laquelle s'allongeaient à l'infini les ombres baroques des deux hommes.

Buch précédait son camarade d'un pas déterminé. Il s'arrêta soudain devant un mur de pierres au delà duquel se dressaient des croix.

– V'là le cimetière, annonça-t-il. Fais gaffe, c'est le sacristain qui habite la petite maison près de la grille; c'est, paraît-il, un zig pas commode qui souffre de l'estomac, donc qui a le sommeil fragile...

Ils escaladèrent le mur. Buch, qui décidément avait la direction des opérations, se repéra et fit signe à Steve de le suivre dans l'une des allées. Il avait sorti de sa poche une minuscule lampe électrique en forme de stylographe qui projetait un mince rai de lumière pâle. Tout en marchant, et presque sans ralentir l'allure, il lisait les noms sur les tombes.

– Voilà ! dit-il soudain.

– Bon, fit Steve en posant la pioche et la pelle militaires qu'il charriait sur son dos, au turf ! Ça va pas aller tout seul, m'est avis, Buch : la terre est gelée.

Il gratta le sol de la pointe de son soulier.

– Et comment ! Du vrai bitume, vieux !

– Que veux-tu, dit Buch, on ne choisit pas son terrain.

Ils se mirent à creuser afin de dégager l'ouverture du caveau.

En un rien de temps ils furent en sueur. Par moments, Buch se relevait et jetait un regard inquiet à la demeure du sacristain, mais tout était calme et aucune lumière n'apparaissait dans la façade de la maisonnette.

La lune répandait une clarté crue qui accusait le relief des choses. Les tombes projetaient des ombres géométriques dans les allées.

– C'est pas gai, fit Steve. Tu parles d'un job ! Si au moins on voyait des farfadets ou des fantômes, ça ferait plus cordial.

– Magne-toi ! riposta Buch, et tu feras la connaissance du zig qu'habite là-dedans. C'est pas qu'il soit causant ni turbulent, mais enfin, ça fera tout de même de la compagnie.

Tout en chuchotant, ils avaient déblayé suffisamment de terre pour avoir accès à la dalle fermant la tombe. Steve examina le scellement.

– C'est tout frais, dit-il.

– Ben, le mec est là depuis avant-hier, et ils ont bouclé son gourbi seulement de ce matin, p't'être…

Steve attaqua le ciment avec un minuscule burin.

Il fit de la sorte le tour de la dalle.

– Tiens l'anneau ! ordonna-t-il.

Buch saisit l'anneau et tira à lui. La lourde pierre ne tarda pas à frémir, bientôt elle céda et avec un ahanement d'effort il la posa à côté de lui, sur les graviers de l'allée. Le rayon de sa lampe fouilla l'intérieur du caveau. Celui-ci comprenait deux rayonnages de chaque côté, mais il ne contenait qu'un seul cercueil.

– Je vais descendre, décida Buch. Passe-moi le burin et le marteau et donne-moi la main. Si t'entends du bruit, préviens-moi.

– O. K., approuva Steve.

Il aida son compagnon à descendre dans la tombe, après quoi il sortit une tablette de chewing-gum de sa poche et la fourra dans sa bouche. Les chocs sourds du marteau contre le bois de la bière résonnaient bizarrement. Une fade odeur de moisissure et de mort s'échappait de l'ouverture.

– C'est fou ce qu'on rigole, lorsqu'on va en visite, ricana Steve.

Les bruits cessèrent brusquement. Un juron épouvantable retentit.

– Qu'est-ce qui se passe ? interrogea Steve. T'as des ennuis avec le monsieur ? Il te cherche des crosses ou quoi ?

– Il n'y est plus ! fit la voix anxieuse de Buch.

– Qu'est-ce que tu dis ?

– Il a foutu le camp ! répéta Buch.

– C'est pas possible, grogna Steve. Parti ? Tu déconnes. Parti ! Où veux-tu qu'il soit allé, ton mec, puisqu'il était mort comme une côte de veau aux frites ?

Buch tendit sa main velue aux doigts courts. Steve le hissa hors du caveau. Les deux hommes se regardèrent un instant dans les yeux. Ensemble ils en avaient déjà vu de drôles, mais jamais ils n'avaient eu à faire au fantastique.

– T'es sûr que c'est bien la tombe du gars ? suggéra indirectement Steve.

– Tu parles !

Buch braqua sa lampe de poche sur la dalle.

– Peter Lanshill, lut-il à mi-voix. Décédé le 2 novembre 1940. Y a pas, c'est bien sa tombe.

– Alors ?

– Alors rien, on est venu le chercher avant nous, que veux-tu que je te dise… Les types devaient avoir une bagnole et ils l'ont chargé dedans.

– Et qu'est-ce que tu crois qu'ils en ont fait, du pâté de foie ? Bon Dieu, j'vois pas pourquoi ils auraient embarqué le macchab' alors qu'il était bien plus simple de le fouiller sur place.

– Ils étaient p't'être pressés ?

– Pressés ? Mon œil ! Ils ont recimenté la pierre…

Le petit visage étroit de Steve se crispa.

– Qu'est-ce qu'on fait ?

– On rebouche le trou et on se taille, décida Buch.

Ils s'engageaient sur le chemin du retour lorsque Buch se cabra brusquement comme un cheval qui aperçoit quelque chose d'insolite.

– Quoi ? fit Steve.

Buch se gratta le crâne.

– Je pense, là, dit-il, Séruti va faire un pataquès du diable si on ne lui ramène pas le papier.

– Y va pas nous péter une pendule, dit calmement Steve. Où veut-il que nous le prenions, son papelard, du moment que le mort s'est barré ?

– Justement, riposta Buch, il nous reprochera de ne pas nous être davantage inquiétés de cette histoire.

Il regarda le cadran lumineux de sa montre-bracelet.

– Il nous faut deux heures pour regagner Milford... Le temps d'affranchir Séruti... Et note bien qu'il nous réexpédiera ici à coups de savate pour que nous enquêtions... Sapristi, les mecs qui l'ont embarqué, le macchab', ils l'ont pas emporté dans leur poche ! Je te le redis : ils devaient avoir une bagnole. Eh bien, une bagnole, Steve, dans un bled pareil, ça se remarque autant qu'un rhinocéros dans un cinéma.

– Bon, dit Steve. Alors, tu veux qu'on fasse quoi ?

Buch renifla bruyamment. Il regardait le ciel comme pour y chercher l'inspiration.

– J'ai idée, reprit Steve, que le sacristain à la godille pourrait des fois nous rencarder.

– Tu penses que s'il savait quelque chose, il aurait

averti le shérif ; je l'ai vu, ce sacristain : c'est le type à téléphoner à Scotland Yard dès qu'il voit un cycliste rouler à droite[1]... Si on lui pose des questions, il nous enverra aux prunes et il préviendra les flics, sûr !

– Bon, dit Steve avec un mauvais sourire. Il les préviendra s'il lui reste une langue pour parler...

D'un commun accord, ils rebroussèrent chemin. Cette fois, ils n'escaladèrent pas le mur du cimetière ; ils pénétrèrent dans le funèbre enclos par la grille. La maison du sacristain s'élevait à droite de l'entrée. Steve s'apprêtait à frapper, mais Buch lui retint le bras.

– T'es pas louf ? Et s'il est marida, le copain ? Vaut mieux entrer en douce...

Il fouilla ses poches et en extirpa un crochet de fer de la dimension d'un crochet à bottines. La serrure ne lui résista pas longtemps. Aucune serrure, du reste, n'était récalcitrante avec Buch. Ce grand gaillard aux doigts d'écorcheur possédait une extraordinaire souplesse des mains.

Ils pénétrèrent à pas de loup dans un vestibule sentant l'encaustique, et la petite lampe de Buch entra une fois de plus en action.

– Y a pas de grognasse dans le secteur, chuchota Steve. Zieute le porte-manteau : on ne voit que des fringues d'homme.

---

1. En Angleterre la circulation se fait à gauche *(NdA)*.

Ils se repérèrent. À gauche s'ouvrait la salle à manger et à droite, un peu plus loin, la cuisine. Ils grimpèrent un petit escalier de bois vernis. Les marches grincèrent. À l'étage supérieur, il y eut un cliquètement de commutateur.

– Magnions-nous, souffla Buch. Le gars est réveillé. D'ici deux minutes, il va gueuler tellement fort qu'on l'entendra jusqu'aux U.S.A…

Ils se ruèrent dans l'escalier et gravirent les dernières marches en deux enjambées. La lumière qui filtrait sous une porte leur indiqua la chambre du sacristain. Ils entrèrent et éclatèrent de rire en apercevant le bonhomme assis sur son séant, les yeux bouffis de sommeil, les lèvres tremblantes de peur ; il les regardait en hochant sa tête coiffée d'un ridicule bonnet de nuit.

– Salut, fit Steve en touchant son chapeau du doigt. On entre sans façons parce qu'on ne voulait pas vous faire lever : les rhumes sont traîtres, en cette saison.

Le sacristain poussa un gloussement de frayeur.

– Que me voulez-vous ? bégaya-t-il.

– Nous avons besoin d'un petit tuyau, dit Buch.

Il sortit un revolver à canon scié de dessous son aisselle et le posa sur ses genoux après s'être assis sur le lit.

– Je vais vous poser quelques questions, vieux, il vaudrait mieux pour vous y répondre recta. Vous savez de quoi est mort un certain Peter Lanshill ?

– Oui, dit le sacristain en blêmissant.
– De quoi qu'il est mort, ce mec ? insista Steve.
– D'un accident. Il nettoyait son revolver et…
– … et le coup est parti. Il est parti tout seul, comme un grand garçon. Voilà la conclusion du jury, voilà ce que tout le monde croit. Toi aussi, Toto, tu y as cru. Je voudrais pas que tu claques en croyant aux enfants qui naissent dans les choux et aux feux qui partent tout seuls, ça me ferait de la peine, Toto, j'te jure !

Il cracha son chewing-gum à l'autre extrémité de la pièce et constata avec satisfaction que celui-ci s'était collé à un portrait de famille.

– Non, poursuivit-il, les pétards ne partent jamais tout seuls. Y a toujours un doigt qui presse un peu trop la gâchette. Et c'est ce qui est arrivé, pour Peter Lanshill. Pas de pot, ce pauvre gars ! Il avait une petite maison de plaisance ici ; il vient y passer le week-end afin de se retremper. Et puis le voilà qui prend une paire de pruneaux dans la viande et qui grimpe dare-dare chez saint Pierre pour se faire inscrire… Bon, on dit : accident. On l'enterre… Jusque-là, tout est O. K. Tu me suis ? Et puis, voilà que des mecs ont envie de passer un bon moment en tête à tête avec sa carcasse. Ils le déterrent et l'embarquent. T'as une idée de ce qui s'est passé, toi, Toto ?

Le malheureux sacristain eut l'air plus ahuri que jamais.
– C'est… c'est extraordinaire ! fit-il.

– D'accord, intervint Buch, ça l'est. Alors, comme nous n'aimons pas les mystères, nous avons décidé de percer celui-ci… Vous allez nous donner un coup de main, collègue. Voyons, cette nuit ou bien la nuit d'avant, avez-vous entendu quelque chose d'insolite ?

– Nnnnon, assura le pauvre homme.

– Rien ?

– Rien !

– Même pas le ronflement d'une bagnole ?

Le sacristain réfléchit.

– Peut-être, oui, au début de la nuit. Même que je me suis dit : Mrs Simpleton a son bébé, et voilà le boulanger qui l'emmène à la clinique…

Buch et Steve se regardèrent, une lueur complice dans les yeux.

– Bon, fit Steve, bon, et personne ne t'a demandé des explications sur le Peter Lanshill ?

Le sacristain sursauta.

– Si, dit-il, hier en fin de matinée… Une dame.

Buch se pencha sur le malheureux qui se recroquevilla dans son lit, absolument terrifié.

– Une dame, hé ? Une dame… Et alors, comment qu'elle était, c'te dame ? Et qu'est-ce qu'elle voulait savoir ?

– Où était la tombe de Mr Lanshill.

– Tu lui as montré ?

– Je suis là pour ça, n'est-ce pas ?

Buch admit l'argument. Son regard était dur lorsqu'il redemanda :

– Tu m'as toujours pas dit comment qu'elle était, c'te pouffiasse : jeune ? vioque ? Elle avait des cheveux verts ou quoi ? Allons, accouche !

– Elle était jolie, s'empressa de répondre l'homme en bonnet de nuit.

Il se tut comme pour examiner quelqu'un dans sa mémoire.

– Très jolie, reprit-il, convaincu, quelqu'un de la bonne société, pour sûr. Elle avait des cheveux châtain-roux, je sais pas si vous voyez ce que je veux dire ?

– On voit, assura Steve.

– Elle était grande, pas trop, un peu plus que la plupart des femmes. Bien faite, balbutia-t-il en rougissant comme un collégien.

– Et ses fringues ?

– Pardon ? larmoya le pauvre bougre.

– Elle était nippée comment ?

– Elle portait un manteau de fourrure beige, du renard je crois. Elle avait un chapeau vert…

Les deux hommes méditèrent un instant chacun pour soi. Puis Buch demanda :

– Elle est arrivée comment ici ?

– En automobile.

– T'es sûr ? T'aurais pas fait gaffe à la marque, par hasard ?

– La marque ? dit le sacristain sans comprendre.

– Tu ne sais p't'être pas que les bagnoles ont une marque, comme tes bretelles, dis, tordu ? jappa Steve. Bon Dieu, qu'est-ce que vous apprenez à l'école, dans ce putain de bled ?

Buch fit signe à son compagnon de réfréner ses impulsions car le sacristain était épouvanté et son visage jaunâtre tournait lentement au vert.

– Bien sûr, dit Buch doucement, ici on n'est pas habitué aux autos, pas ? Mais vous avez tout de même dû voir comment qu'elle était, la calèche, Toto ?

– Oui, fit l'autre. Elle était bleue. Une grande auto bleue avec une barre nickelée tout autour, des phares nickelés, des pare-chocs nickelés.

– Dis donc, c'était une salle de bain, ou quoi ? demanda Steve.

– C'était une auto, Monsieur, assura humblement le malheureux.

– Et alors, la gonzesse, qu'est-ce qu'elle a fait quand tu lui as eu indiqué la tombe ? reprit Buch.

– Elle y est allée et s'est recueillie.

– Et après ?

– Elle est partie…

– Dans son auto ?

– Oui, Monsieur.

– C'est tout ce que tu sais ?

– C'est tout, je le jure, Monsieur. Je vous ai dit la vérité. La vraie vérité du Bon Dieu, Monsieur…

Il regardait alternativement les deux intrus et, au fur et à mesure, sa terreur croissait. Il sentait que leur entretien touchait à sa conclusion et qu'il allait se passer quelque chose. Il chercha des mots capables de mettre en confiance ses visiteurs.

– Vous êtes de la police, sans doute ? questionna-t-il hypocritement. Si vous faites une enquête, messieurs, comptez sur moi, je ne parlerai de rien à personne.

Steve allait dissuader le bonhomme lorsqu'il eut une idée. Et une idée pareille, il avait l'impression qu'elle valait son pesant de moutarde. Il fit un petit signe à Buch et l'attira dans un angle de la pièce, sans cesser de surveiller le sacristain. Il lui parla à l'oreille et, au fur et à mesure qu'il exposait sa fameuse idée, le visage maflu de Buch s'éclairait.

– O. K., fit-il brièvement.

Et il revint s'asseoir sur le lit.

– Vous avez mis dans le mille, vieux, fit-il avec bonhomie en administrant une bourrade au sacristain. Nous sommes des flics. Excusez nos façons peu cavalières, vieux, mais dans notre bouzin, on peut pas jouer au parfait gentleman. Vous allez être réglo, vieux, pour ça il faut nous écrire une petite déclaration de façon à ce que tout soit officiel, pas ?

– Volontiers, accepta le sacristain, plein d'espoir.

– Où c'est que vous rangez votre papier à lettres ?

– Dans le tiroir du haut de la commode.

Steve alla ouvrir le tiroir indiqué et trouva un sous-main et un bloc de correspondance ; il apporta le tout au bonhomme et lui tendit son stylo.

– Écris ce que je vais te dicter... Tu y es ? Bon, vas-y : *Monsieur le shériff, je tiens à porter à votre connaissance des faits assez troublants ; aujourd'hui 5 novembre...*

– Mais nous sommes le 6, objecta timidement le sacristain.

– T'occupe pas, Toto. Bon, je continue : ... *aujourd'hui, 5 novembre, j'ai reçu la visite de gens patibulaires qui m'ont demandé de leur confier les clés de l'église. Devant mon refus légitime, ils ont proféré de vagues menaces et sont partis. Ils étaient dans une voiture bleue à entourage nickelé...*

Steve eut un rire bref.

– Ajoute aussi : les phares nickelés, les pare-chocs nickelés, tout ce que tu voudras de nickelé, j'te chicanerai pas sur ce point.

Le sacristain releva le stylographe.

Animé brusquement par ces petites bouffées de courage, voir de témérité, dont font preuve les faibles, il murmura :

– Vous me faites écrire des choses inexactes : il n'a pas été question des clés de l'église, ni de gens à la mine patibulaire...

– Mets-y une sourdine, ordonna Steve, ou tu vas me fout' l'humeur en mouvement, Toto !

Il arracha la feuille de papier des mains de l'homme et relut.

– Au poil ! dit-il en la tendant à Buch.

Buch en prit rapidement connaissance et approuva de la tête.

– Mais…, bêla le sacristain.

– Mais quoi ?

– On laisse la lettre ainsi ?

– Pourquoi pas ? T'es pour les formules de politesse ? Apprends qu'une lettre inachevée paraît toujours plus réglo, tu peux pas comprendre…

Il plia la feuille de papier et la glissa sous le traversin du bonhomme.

– On va te laisser, annonça-t-il. T'y es, Buch ?

– Oui, dit Buch.

Le gros homme se leva, son revolver à la main. Il s'enveloppa le bras dans l'édredon du sacristain et tira trois balles dans la poitrine du pauvre diable.

– Rien de tel que les plumes pour étouffer le bruit d'un coup de feu, assura-t-il paisiblement en rengainant son arme.

CHAPITRE II

Si vous aviez rencontré Alfredo Séruti dans les environs de Trafalgar Square, vous seriez descendu du trottoir pour le laisser passer tant il paraissait décidé à renverser une locomotive, au besoin, pour ne pas faire obliquer sa promenade de vingt centimètres.

Tout ce qu'avait décidé d'entreprendre Séruti, il l'accomplissait implacablement.

C'est pourquoi il acheva le morceau de be-bop qu'il jouait à l'harmonica – son instrument de prédilection – avant de regarder Buch et Steve.

Séruti était un garçon de vingt-huit ans, d'une taille très moyenne qu'il essayait de corriger au moyen de souliers à quintuple semelle, mais dont l'aspect possédait quelque chose de terrible. Il était assez joli garçon et lorsqu'il regardait pendant deux minutes consécutives une personne du sexe, celle-ci n'insistait pas et commençait à préparer son pyjama et sa brosse à dents, bien décidée à suivre jusqu'au bout du monde cet être fascinateur. Séruti n'emmenait jamais une femme aussi loin. La plupart du temps, une simple chambrette à l'hôtel du coin ou même les coussins de sa voiture faisaient l'affaire. Les relations duraient rarement plus d'une heure, car Séruti était un homme fort occupé, et le temps que lui laissaient ses affaires, il le consacrait à la musique moderne.

Il était d'origine italienne ; par conséquent, il avait les cheveux bruns et épais, les sourcils très fournis, les yeux verdâtres et le teint mat. Il s'habillait fastueusement, sans trop de mauvais goût, encore qu'il mît de temps à autre, lorsqu'il se sentait d'humeur printanière, une chemise saumon et une cravate verte à rayures jaune mimosa.

Buch et son compagnon refermèrent la porte de bois vernis du rouf et s'assirent sur un petit divan d'angle. Ils étaient harassés. Une lampe à abat-jour rose répandait dans la cabine une douce lumière feutrée. Par un hublot, on apercevait un disque de nuit claire émaillée d'étoiles.

Séruti exécuta une espèce de trémolo compliqué qui marquait la fin du morceau. Puis il posa son harmonica sur une table et s'assit.

– Alors ? questionna-t-il en amenant à lui une bouteille de whisky.

– Ben voilà…, commença Buch.

Le gros homme était mal à l'aise.

– On dirait que tu as des fourmis rouges plein ton slip, fit Séruti de sa voix morte.

– Y a eu un pépin, intervint Steve. Écoutez voir, boss, votre mec, le mort, eh ben y s'était fait la paire. Son cercueil était vide... Qu'est-ce que vous dites de ça ?

L'Italien n'en disait rien. Pas un muscle de son visage ne bougea.

Les deux hommes firent une relation minutieuse de leur expédition. Quand elle fut achevée, Séruti bâilla et but un verre de rye.

– Si je comprends bien, fit-il, vous supposez que la poule rousse a embarqué le macchab' et Steve s'est dit qu'en butant le vieux du cimetière après lui avoir fait écrire un mot dans lequel il était question de la voiture bleue, la police se mettrait en campagne et retrouverait pour nous l'auto bleue. Bon Dieu ! Il a fallu que vous vous gaviez de phosphore pour échafauder un plan pareil ! Vous la prenez pour quoi, la police ? Pour la fée Machin-Chouette ? Vous croyez qu'elle va mettre la main sur une bagnole bleue dans un pays où il y en a des tripotées ?

– Ouais, s'empressa Steve, soucieux de se justifier, mais écoutez voir, boss : il n'y en a pas des tas, de bagnoles bleues, qui sont allées cette semaine dans ce patelin perdu...

– O. K. ! Un point pour toi, fit Séruti. Bon, la police retrouvera la voiture en question, et alors ? Elle cherchera du trèfle à la môme… La môme a le papier; s'il lui arrive un pépin, nous serons marrons.

Il médita un court moment et haussa les épaules :

– Buvez un coup, les gars, et allez vous coucher. Je vais donner l'ordre d'appareiller. J'ai idée que l'affaire change de secteur. Et puis, si par hasard vous aviez laissé des indices, inutile de se faire remarquer davantage, nous allons mettre le cap sur Londres.

L'avenir immédiat prouva que Steve n'avait pas eu une mauvaise idée en faisant écrire la lettre par feu le sacristain. La police du comté, après la découverte du meurtre, alerta Scotland Yard qui mit en alerte tous les agents de la circulation et leur communiqua le signalement de l'auto bleue. Vingt-quatre heures plus tard, le *chief inspector* chargé de l'affaire eut en main plus de cent cinquante rapports qui, tous, concernaient des automobiles bleues à ornements nickelés, dont on signalait la présence ou le passage dans le Pays de Galles.

Le policier fit vérifier par ses services l'emploi du temps de tous les propriétaires de ces véhicules pour les journées des 5 et 6 novembre. C'est ainsi qu'on découvrit, à force de patients interrogatoires, que le 5, une voiture, correspondant en tous points à celle indiquée par le malheureux sacristain, était passée dans le village de K., près de Milford. Le véhicule appartenait à une certaine Miss Barbara Spage, laquelle ne fit aucune difficulté pour reconnaître qu'elle s'était rendue à K., le jour en question. Elle était une amie d'un jeune chimiste nommé Peter Lanshill, mort accidentellement quelques jours auparavant; elle avait appris trop tard les obsèques du défunt et, profitant d'un voyage dans le Pays de Galles, elle avait eu l'idée de faire un détour afin d'aller se recueillir sur la tombe de son ami. Elle se souvenait avoir demandé l'emplacement de la tombe au gardien du cimetière et elle se montra surprise d'apprendre que c'était cet homme qu'on avait retrouvé assassiné dans son lit.

L'enquêteur chargé de recueillir sa déclaration lui parla des individus mentionnés par le sacristain. Barbara Spage déclara que cette histoire ne tenait pas debout. Elle avait pris un repas à K. à l'auberge du Lion et de la Licorne, et l'aubergiste pouvait témoigner qu'elle était bien seule. De même, elle donna les noms des différentes localités où elle s'était arrêtée soit pour se restaurer, soit pour prendre de l'essence, et les commerçants à qui elle avait eu affaire. Il fut donc aisé de retrouver ces gens. Il s'avéra en effet que la jeune femme avait voyagé seule. On supposa donc que le sacristain s'était trompé en affirmant que ses antagonistes étaient les passagers de l'auto bleue. Ce qui conforta les enquêteurs dans cette déduction, ce fut le fait que la victime ne parlait pas de Miss Spage dans sa fameuse lettre inachevée. Les investigations se portèrent dans d'autres directions. Le *chief inspector* déclara aux journalistes qui assiégeaient la porte de son bureau que Miss Barbara Spage avait été entendue et que ses explications s'avéraient extrêmement satisfaisantes.

Les jours passèrent. L'affaire du sacristain passa de la première à la quatrième page des journaux, puis de la quatrième à la dernière, avant de sombrer dans l'oubli.

Sans doute le dossier fut-il classé ? Les morts n'intéressent jamais très longtemps les vivants.

* *
*

Barbara Spage habitait la banlieue londonienne. Elle possédait un délicieux cottage exactement semblable à ceux que l'on voit sur les réclames de prêts immobiliers. La pierre meulière, la brique vernie, les baies vitrées en rotonde en formaient les principaux éléments. La demeure était meublée dans le style moderne avec un goût parfait.

La jeune femme était âgée de vingt-huit ans. Elle était grande, jolie, avec les merveilleux cheveux tirant sur le roux que le sacristain avait décrits à ses agresseurs. Elle était très riche, se souciait fort peu des hommes et vivait plus pour ses toilettes, ses croisières et son petit chien Mikky, (un animal bizarre qui ressemblait à un patin à parquet) que pour les surprise-parties et les flirts. C'était une fille extrêmement indépendante que Miss Barbara Spage.

Chose étrange, elle ne possédait pas de bonne, son intérieur était tenu par un vieux domestique de soixante-dix-huit ans, John Sutton, qui avait autrefois servi dans l'armée coloniale et faisait presque partie de la famille. Ses amis la moquait beaucoup à ce sujet. Sutton avait une tête de vieux clown. Son visage long et étroit, encadré d'épais favoris, indiquait plus clairement sa profession de larbin que ses papiers d'identité. Il était grave comme un enterrement en musique, maigre, triste, un peu myope et éternellement vêtu de noir. Lorsqu'il sortait, les gens, appréciant tour à tour sa distinction et son accoutrement, pensaient : « Ce vieux lord s'habille comme un maître d'hôtel ! »

Barbara tenait beaucoup à John. Elle ne se moquait jamais de lui et prenait un air réprobateur lorsque le vieillard faisait l'objet de sarcasmes.

Ce soir-là, Miss Spage dit à John :

– Je rentrerai tard. Si on me demande, je suis chez Margaret Bert. Vous savez comment est Margaret ? Elle fait de la mauvaise peinture, mais il n'y a pas deux personnes comme elle dans tout Londres pour préparer des cocktails... Et puis, elle est si pétillante !

Le domestique hocha tristement la tête.

– Chez Mrs Margaret Bert, répéta-t-il. Entendu, Miss.

La jeune fille donna une tape affectueuse à Mikky.

– Bien entendu, John, vous ne passez le numéro de Margaret qu'à quelqu'un de confiance ?

– Bien entendu, Miss.

– Bonne nuit, John.

– Joyeuse nuit, Miss.

Le vieillard s'inclina et regarda sortir sa maîtresse. Lorsqu'il entendit teinter la sonnette de la grille, il se mit à une fenêtre pour assister au départ de l'auto bleue. Puis il regarda l'heure, poussa un soupir et gagna sa chambre.

* *
*

Il était environ dix minutes passé minuit lorsque John Sutton s'éveilla.

N'importe qui – à moins d'être la momie de Ramsès II – se serait réveillé en pareille circonstance : il est en effet fort difficile de séjourner au pays des rêves lorsqu'un homme vous braque dans les yeux le faisceau puissant d'une grosse torche électrique tandis qu'un autre homme vous abat sur la tête le portrait encadré de buis massif d'un vice-amiral en grande tenue. Or ce sont là très exactement les méthodes qu'employèrent Buch et Steve pour soustraire l'honorable vieux valet à son respectable sommeil.

On l'a vu, les deux gaillards s'entendaient à merveille à ce genre d'exercices.

– Hein ! Quoi ! sursauta John.

– T'affole pas, Toto, dit calmement Buch. Si tu ne joues pas au petit pompier, tu pourras p't'être te remettre demain matin dans le bec ce râtelier qui fait trempette sur la table de nuit. Je dis p't'être, because on n'aime pas les dégourdis, moi et mon pote. Tu saisis ? Et faut pas croire que ton crâne en peau de fesse nous impressionne. Moi et mon pote on a travaillé au musée des horreurs comme gardiens de nuit, alors tu parles qu'on à l'habitude des vieux chnoques !

– Des cambrioleurs…, soupira le pauvre John.

– T'es drôlement fûté pour ton âge, Toto, fit Steve. Bon, maintenant que les formules de politesse sont échangées, on va pouvoir causer…

Il déplia une tablette de chewing-gum.

Comme John le regardait d'un air sévère, il lui dit :

– Ben quoi ? T'as jamais vu un type brouter de la gum ? D'ac, ça ne fait pas « gentry », et vous autres, les English, vous êtes à cheval sur les principes comme une sorcière sur son balai un soir de sabbat. Et pis d'abord, Toto, pour apprécier ce nectar, faut avoir des croquantes à soi.

– Bon Dieu, quoi ! T'as fini de faire de la littérature ! s'impatienta Buch. Faut toujours que tu la ramènes avec tes idées philosophiques…

Il souleva John par le col de sa chemise de nuit. L'opération priva le vieux domestique de sa respiration, mais c'était un garçon qui en avait vu bien d'autres, aussi se laissa-t-il étrangler sans se départir de son air triste et distingué. Simplement, son visage devint cramoisi.

– Où est le coffre de la môme ? questionna Buch.

Il lâcha Sutton. Ce dernier reprit son souffle compromis et lissa doucement ses favoris.

– Je suppose, fit-il, que c'est de Miss Spage que vous parlez ?

– Non mais, y nous prend pour la reine Victoria ! glapit Steve. Si je me fous en pétard, j'y arrache ses côtelettes, à ce vieux suppositoire !

– Calme-toi, intima Buch. Alors, vieux, insista le gangster, ce coffre ?

– Je ne sais si Miss Spage en a un, déclara John ; et si je le savais, messieurs, soyez absolument certains que je ne vous le dirais pas.

Les deux hommes se regardèrent. Le ton du vieillard était froid et calme. L'un et l'autre comprirent que ni la persuasion, ni la violence ne pourraient décider le domestique à fournir le renseignement qu'ils lui demandaient.

Steve sortit une matraque de caoutchouc de sa poche intérieure et l'abattit violemment sur le crâne de John Sutton.

– C'te race de vieux larbins, dit-il, i z'en sont encore

à « la garde meurt mais ne se rend pas » ! I se laisseraient asseoir dans une baignoire pleine de paraffine et ne l'ouvriraient pas, même si tu parlais de flanquer une allumette dans la baignoire. Pour eux, le blé de leurs singes, c'est sacré !

– Dommage, ronchonna Buch. Va falloir jouer à la main chaude, mais avec personne pour nous dire si on gèle ou si on brûle... D'abord, c'est pas prouvé qu'elle en ait un, de coffre, la souris. Des fois qu'elle planque son oseille et ses papelards dans son page... Tiens, allons visiter sa chambrette d'amour.

Ils descendirent au premier étage et n'eurent aucune difficulté à trouver la chambre de Barbara Spage. Ils la mirent sens dessus dessous, en parfaits techniciens de la chose, sans rien trouver d'intéressant. Ils visitèrent alors les autres pièces et les fouillèrent méthodiquement. Ce fut dans le petit bureau délicatement meublé de palissandre qu'ils trouvèrent ce qu'ils cherchaient : le coffre.

Il s'agissait d'un petit coffre mural dissimulé par un tableau.

– Ça y est tout de même ! triompha Steve. Je commençais à avoir les flubes. Suppose qu'on ait fait chou-blanc, j'aurais pas osé revoir Séruti.

Buch eut un rapide entretien avec la serrure du coffre et la porte de fer s'ouvrit. Sans hâte mais avec décision, il retira de la cavité les objets qu'elle contenait.

Il y avait là une liasse de banknotes représentant un total de deux mille livres, des actions, des papiers dont l'intérêt ne leur fut pas évident, mais qu'ils empaquetèrent soigneusement.

– Séruti se débrouillera, dit Buch. Nous, c'est pas nos oignons.

Steve le tira par la manche.

– On pourrait…, bredouilla-t-il.

– On pourrait quoi ? demanda Buch d'un air entendu.

– Ce pognon, c'est pas tellement ce qui intéresse Alfredo ! Bon Dieu, tu parles d'un paquet ! On s'en partagerait la moitié que ça ne ferait de mal à personne… Surtout que Séruti va tout de suite nous laisser le dixième de la somme…

– T'es pas dingue ! grommela Buch. Demain, notre cassement sera dans les journaux, y aura des précisions sur tout, avec le détail des trucs embarqués. Si Séruti apprenait que nous avons essayé de le doubler…

Il eut un vacillement dans le regard.

– Tu te rappelles le grand Max ? l'Autrichien, çui qu'avait une pomme d'Adam comme un entonnoir dans le gosier ? Un jour, il a fait une entourloupette à Séruti. Séruti l'a su… Eh ben, mon vieux ! Il l'a planté contre un arbre avec un grand pic à glace ! Comme un insecte dans une boîte, mon vieux.

Steve cracha son chewing-gum.

– Allez, barrons-nous ! décida-t-il.

CHAPITRE III

Margaret Bert était une petite personne rondelette et pétulante qui ne pouvait demeurer plus de deux minutes sans commencer un potin ou casser un verre. Elle n'était pas très intelligente, peignait sans talent, parlait sans motif, mais possédait la grande qualité de créer une ambiance heureuse autour d'elle.

Elle habitait un grand appartement meublé de façon assez baroque du côté de Picadilly et elle passait le plus clair de son temps et la majeure partie de ses revenus à y organiser des surprise-parties. Elle possédait quelques amis « de base », telle que Barbara, mais elle aimait recevoir des gens inconnus, rencontrés au hasard des thés, des réceptions, et elle les accueillait avec des transports d'allégresse simplement parce qu'ils lui plaisaient ou savaient raconter des histoires drôles.

Ce soir-là, Margaret portait une étrange robe noire sur laquelle elle avait peint elle-même des fleurs orangées. Elle jeta un regard satisfait au buffet abondamment garni, puis aux nouvelles toiles qu'elle venait de faire accrocher aux murs. Ce serait très bien. Elle avait invité un nouveau visage qui compléterait – estimait-elle – sa collection de phénomènes. Il s'agissait d'un riche Américain d'origine latine qui, la veille, s'était présenté chez elle, éperdu d'admiration pour son œuvre, et lui avait acheté deux toiles. Ils avaient causé, s'étaient découvert une foule d'affinités et avaient décidé de se revoir.

Barbara fut introduite.

– Enfin vous, ma chérie ! s'écria Margaret. J'avais peur que vous ne suiviez pas mes recommandations et n'arriviez pas bonne première.

Elle s'interrompit pour admirer l'arrivante.

– Vous êtes merveilleuse, très chérie, absolument merveilleuse… Cette toilette vieux rose se marie admirablement avec vos cheveux.

Elle émit un petit gloussement et prit le bras de son amie.

Margaret Bert possédait l'art de sauter d'un sujet à un autre sans même se donner la peine de reprendre sa respiration.

– Oui, il faut que je vous dise : j'ai un nouvel ami. Il va arriver. C'est un garçon extraordinaire. Il a une tête extrêmement expressive…

Barbara sourit. Elle connaissait les « têtes terriblement expressives » de Margaret.

– Eh bien, fit-elle, nous verrons cette merveille.

Elle écouta d'une oreille distraite le verbiage de son amie. L'artiste passait une revue des personnes invitées à la soirée et parlait d'elles en termes enthousiastes. Elles procédait toujours de la sorte. Le lendemain, évidemment, elle dirait à tout Londres qu'Untel était mortellement ennuyeux, que Chose s'habillait comme un bouvier et que la petite Machin, pour peu qu'on l'observât de près, était affligée d'un strabisme divergent.

Les invités commencèrent à arriver, des artistes pour la plupart. De joyeux drilles aimant rire et vider des shakers. En un instant le salon de Margaret Bert fut plein d'un brouhaha indescriptible, un peu comme un hall de gare. Chacun se congratulait, s'administrait des bourrades en se complimentant.

Margaret semblait moins excitée que de coutume. Elle était tendue, crispée et jetait à tout moment des regards impatients à la porte. Il était près d'une heure du matin lorsque le maître d'hôtel annonça :

– Monsieur Alfredo Séruti !

Margaret saisit le bras de Barbara :

– C'est lui, souffla-t-elle.

Séruti fit son entrée, de sa démarche calme et déterminée. Margaret Bert avait tellement rebattu les oreilles de ses invités avec son enthousiasme pour le riche Américain qu'il se fit, lorsqu'il pénétra dans la vaste pièce, un brusque silence. Séruti eut un léger sourire assuré et se dirigea vers son hôtesse dont il baisa la main avec beaucoup de grâce.

La petite femme se suspendit à son bras et lui fit faire le tour du salon afin de lui présenter les assistants. Elle paraissait très fière de sa nouvelle conquête. Les femmes éprouvaient un petit pincement au cœur lorsque le jeune homme s'inclinait devant elles.

Séruti avait une façon de plonger son regard ardent dans le leur qui troublait les bourgeoises les plus vertueuses et éveillait chez les autres hommes une sourde irritation. Cette irritation s'accentuait très vite, car l'Italo-américain témoignait pour ses semblables du plus profond mépris. Il leur parlait du bout des dents d'un air écœuré et blasé, et se plaisait à suivre sur leur visage les progrès de la rage sourde qu'il y faisait naître.

Au bout d'un instant, il revint auprès de Barbara que Margaret lui avait présentée et lui sourit. Ses sourires étaient rares, la jeune femme le comprit et apprécia l'hommage particulier qui lui était fait. Pour une fois, Margaret n'avait pas exagéré : Séruti possédait réellement une très forte personnalité.

– Hum, charmante soirée..., fit-il de cette voix sourde où perçait un soupçon d'ironie.

– C'est la première fois que vous venez à Londres ? questionna Barbara.

– Oui. J'arrive des U.S.A. à bord de mon yacht, le *Spring*, un gentil bâtiment qui ressemble à un gros jouet.

Il tira une bouffée de sa cigarette marquée à ses initiales et ajouta :

– Du reste, c'est un jouet… vous verrez.

– Je verrai ? demanda Barbara, interloquée.

– Lorsque vous viendrez me faire une visite à bord.

Elle trouva que ce petit homme brun possédait une assurance par trop déplacée.

– Et qu'est-ce qui vous laisse croire que j'irai à bord ?

Séruti haussa les épaules.

– Il n'y a aucune raison pour que j'y aille, insista Barbara nerveusement.

– O. K., faisons de la déduction de salon, admit-il, je vais donc vous répondre qu'il n'y a aucune raison non plus pour que vous n'y veniez pas. C'est cela que vous désiriez ? Vous avez raison, Miss, nous sommes dans un endroit où ce petit jeu a cours.

Barbara scruta son interlocuteur avec surprise. « Quel étrange personnage », pensa-t-elle.

Il dégageait un charme certain.

– On prend un drink ? proposa-t-il.

Elle acquiesça d'un mouvement de tête et tous deux s'approchèrent du buffet.

– Whisky ?

– Si vous voulez.

– Mazette, c'est de l'écossais, apprécia Séruti.

Il savoura le breuvage en connaisseur.

– Aimez-vous le schnaps ? demanda-t-il.

– Je n'en ai jamais bu, avoua Barbara.

– Eh bien, vous compléterez votre éducation lorsque vous viendrez à bord, décida-t-il. J'en ai, et de l'excellent. Du reste, je possède un échantillonnage très complet de tout ce qui se boit.

Elle comprit qu'il la défiait, mais elle ne fit aucune objection. Elle trouvait ce tête-à-tête passionnant. Hélas, Margaret l'interrompit en poussant des glapissements d'oiseau migrateur :

– Je vous y prends ! s'exclama-t-elle. Déjà dans les coins…

– Je vous en prie, Margaret, balbutia Barbara en rougissant.

La pétulante petite femme s'adressa à Séruti :

– Vous faites des ravages, mon cher, lui assura-t-elle. Voyez, cette jeune personne ne sait déjà plus où elle en est… Et c'est rare ! On n'a jamais vu aucun homme troubler Barbara… Compliments !

Son enjouement sonnait faux.

Séruti fit diversion et ils attaquèrent une conversation sur l'Italie. Margaret avait recouvré un peu de son entrain coutumier. Elle voulut inviter Séruti à un petit lunch pour la même semaine, mais l'Italien refusa, alléguant son proche départ du vieux continent.

Quelques heures plus tard, il prit congé de son hôtesse et de ses invités. Sitôt qu'il eut tourné les talons, Margaret fut assiégée.

– Drôle de type ! affirmaient les femmes.

– Il est très inquiétant, prétendaient les hommes.

Barbara ne donna pas son opinion, mais resta songeuse. Elle ne se sentait pas la moindre envie de parler, aussi embrassa-t-elle son amie et décida-t-elle de regagner son home.

Un épais brouillard obstruait les rues livides. Barbara fit la moue : elle avait horreur de conduire à travers cette ouate grise ; c'était extrêmement pénible, même pour les automobilistes expérimentés et connaissant bien Londres.

Elle se repéra et alla à sa voiture. Au moment où elle en ouvrait la portière, elle poussa une exclamation et fit un pas en arrière. Il y avait quelqu'un à l'intérieur ; elle avait eu le temps d'apercevoir le point incandescent d'une cigarette dans l'obscurité.

– Hello ! fit la voix de Séruti. N'ayez pas peur, Miss.

Le beau séducteur éclaira la plafonnier. Il était confortablement installé sur les coussins de l'auto et tenait négligemment sa cigarette.

– Ce brouillard, expliqua-t-il, pas fameux pour se diriger, n'est-ce pas ? Alors j'ai pensé qu'une belle jeune femme comme vous avait besoin d'un type comme moi pour conduire à bon port cette monumentale embarcation.

Cette assurance excessive indisposa Barbara.

– Vous avez un infernal toupet ! éclata-t-elle. Grands dieux, mais vous croyez-vous irrésistible ?

– Il y a un peu de ça, admit l'Italien.

– Oui, fit la jeune fille, eh bien, votre charme a des limites, mon cher, je préfère vous dire qu'il n'influe que médiocrement sur moi. C'est pourquoi je vous demande instamment de sortir de cette voiture.

Le visage de Séruti se crispa ; une lueur mauvaise fulgura dans ses yeux charbonneux.

– Allons, dit-il, ne faites pas l'enfant… Mettons que ce soit moi qui subis votre charme.

– Allez le subir ailleurs, s'entêta Barbara.

– Mais…

– Je crois que je me suis fait bien comprendre ?

Il jeta sa cigarette par la portière et porta la main à l'intérieur de son veston de serge bleue.

– Toutes pareilles, les souris, ronchonna-t-il. Elles n'en font qu'à leur tête.

Barbara vit qu'il tenait un revolver. Elle fut abasourdie et, comme dans un rêve, entendit la voix de Séruti lui ordonner :

– Grimpez en vitesse, ma poupée. Installez-vous au volant, et si vous tenez à vos os, suivez bien mes instructions.

C'est ainsi que commença la grande aventure pour Barbara Spage.

CHAPITRE IV

Buch et Steve se gorgeaient de whisky dans le luxueux salon du *Spring* lorsque Séruti entra, flanqué de Barbara.

– Oh, dis, pardon ! Vise un peu ce que le boss ramène ! tonitrua Steve dont les pommettes commençaient à vermillonner. Zut alors : patron, elle vous a suivi, la poupée ? Pourtant elle a la réputation de ne pas frayer avec n'importe qui !

Séruti referma la porte vernie aux ornements de cuivre.

– Faut croire que je ne suis pas n'importe qui, soupira-t-il. Et puis je vais te dire, mon garçon, avec un machin comme ça (il tapota sa veste à hauteur de son aisselle gauche), tu rends docile le mec le plus hargneux.

« Asseyez-vous ! ordonna-t-il durement à Barbara. Nous avons du travail à faire, tous les deux, beaucoup de travail.

– J'avoue que je ne comprends rien à tout ceci, émit la jeune fille.

– Vous allez comprendre. Si vous le voulez, nous allons faire l'historique des événements à seule fin d'y voir plus clair. J'aime la clarté, pas vous ?

Elle ne répondit rien et il haussa les épaules.

– D'accord, faites votre sucrée, je m'en tamponne ; c'est vous et rien que vous qui en subirez les conséquences. Bon, je commence : vous étiez copine avec un zig nommé Peter Lanshill, c'est vu ?

– C'est vu, admit Barbara en haussant un sourcil.

– Bon, et vous saviez ce qu'il faisait dans la vie, ce Lanshill ?

– Il était chimiste.

– Tout juste, il était chimiste. Il était même spécialisé dans les explosifs. Et il était tellement fûté, ce pauvre mec, qu'il a mis au point une bombe du tonnerre de Dieu, à vaste rayon d'action. L'organisation à laquelle j'ai l'honneur d'appartenir l'a su et a décidé d'avoir la formule de l'engin. Nous avons donc armé un bâtiment, comme les filles de La Rochelle. Et nous avons débarqué en Angleterre avec nos grands pieds.

« La première chose que nous apprenons au sujet de Lanshill, c'est qu'il est mort comme une portion de bœuf en sauce, depuis la veille : accident ! Il nettoyait un soufflant, et il s'en est administré un coup dans le bocal, probablement afin de se rendre compte si la mécanique fonctionnait bien ! Les accidents de ce genre, je les connais, je dois même vous révéler, ma beauté, que mes hommes et moi sommes comme qui dirait des spécialistes de la chose. Ceci pour vous dire qu'on n'y a pas cru un quart de seconde. On s'est dit : "O. K., nous sommes doublés. Nous savons être beaux joueurs", et nous nous apprêtions à faire demi-tour lorsqu'une chose attira mon attention : Lanshill avait été blessé au cours de la dernière guerre et il portait un appareil au pied droit. Cela n'a rien d'extraordinaire en soi, mais, en fouillant sa baraque par acquit de conscience, nous avons découvert un vieil appareil orthopédique qu'il devait porter avant de s'en faire faire un plus moderne. Ce machin comprenait une cavité dans le talon et nous avons découvert un morceau de papier dans cette cavité, preuve qu'il y cachait des documents.

« Hein, ma belle, vous direz pas que j'ai des vers blancs dans le cerveau ! sourit Séruti.

Il lissa sa fine moustache et poursuivit :

– Bien entendu, j'ai pensé qu'il était possible que Lanshill, méfiant comme un chat, eût planqué sa formule dans son pied en nickel chromé, que son assassin n'eût pas songé à fouiller à cet endroit un peu spécial – peut-être, après tout, qu'il ignorait cette particularité ? – et que le chimiste eût été enterré avec son invention dans le talon. C'est un peu romanesque, mais quoi, l'expérience m'a souvent enseigné que ce sont les suppositions les plus audacieuses qui s'avèrent les plus justes. Bref, j'ai décidé de déterrer le camarade afin de vérifier… Et vous savez la surprise qui nous attendait ?

– Non, fit Barbara, captivée malgré elle par le récit de l'Italien.

– Mais si, vous le savez, s'entêta doucement Séruti : votre copain Lanshill n'était plus dans sa tombe ; son cadavre était parti en vadrouille…

Barbara poussa un cri.

– Ce n'est pas possible !

– Et comment que ça l'est, ma mignonne ! Et vous le savez fort bien, puisque c'est dans votre bagnole qu'il a été embarqué.

La jeune fille demeura un moment sans voix. Puis elle éclata d'un rire nerveux.

– C'est encore votre astucieux petit doigt qui vous a dit ça ? questionna-t-elle d'un ton sarcastique.

– Admettons, dit Séruti.

– Eh bien, il vous bourre le crâne, déclara paisiblement Barbara. Mister Séruti, vous faites erreur. Je ne suis aucunement mêlée à cette histoire compliquée.

Elle réfléchit :

– Et j'aimerais bien savoir par quel truchement, par quel sentier tortueux vous êtes parvenu à me retrouver…

– Facile, nous avons prié un certain sacristain de rédiger avant de… mourir une lettre dans laquelle il donnait le signalement de votre voiture. Une auto bleue !

C'est de ce point que nous sommes partis. La police a fait des recherches pour nous. Il est juste que, pour une fois, elle nous soit de quelque utilité. Ainsi nous avons retrouvé votre trace. J'ai fait ma petite enquête sur vous et me suis introduit dans l'intimité de cette femme laide et idiote qui prétend peindre : Margaret Bert. Ceci afin de pouvoir vous contacter d'une façon indirecte. Puisque nous en sommes aux confidences, je tiens à vous informer que mes hommes ont perquisitionné chez vous ce soir. Ils ont ouvert votre coffre. Ce dernier contenait du fric et des valeurs, mais pas la moindre formule…

– Vous avez…

L'indignation de Barbara amusa fort le gangster.

– Nous avons toutes les audaces, ma chère…

Tout à coup son visage mat pâlit davantage encore. Une lueur inquiétante se fixa dans ses yeux.

– Vous êtes ici pour nous dire où se trouve la formule, ma belle. Et vous parlerez, je vous le promets.

Barbara se recula contre la cloison.

– C'est insensé ! Je ne sais rien, je ne…

Une gifle formidable la coucha sur le divan.

– Trêve de simagrées, tu vas parler ! gronda Séruti.

Buch fit craquer ses jointures et demanda :

– Un coup de main, boss ?

– Non, merci, fit l'Italien.

– Vous savez, boss, que j'ai des petits secrets à moi pour rendre loquaces les jeunes filles de bonne famille.

– J'en ai aussi, sourit Alfredo.

Il regarda Barbara qui se remettait sur son séant en se frottant la joue. La trace des doigts de Séruti se voyait sur le visage de la pauvre fille.

– Vous êtes ignoble ! jeta-t-elle. Je vous hais !

– O. K. Vous me haïssez, ce n'est pas la première fois qu'une femme éprouve à mon endroit ce genre de sentiment, ma poupée. Vous allez parler !

– Je ne sais rien ! rien ! rien ! C'est horrible ! gémit Barbara. Je ne peux pourtant pas inventer quelque chose pour vous satisfaire !

– Allons, soyez raisonnable. Le cadavre de Lanshill n'est pas sorti tout seul de son tombeau. Il ne s'est pas sauvé sur la lande… Il a été déterré, puis enlevé à bord d'une auto. Or, aucune autre bagnole que la vôtre n'a été signalée dans ce patelin perdu où pourtant rien ne passe inaperçu. Et puis, entre nous, je ne vous vois pas faisant des miles et des miles pour aller murmurer une prière sur la tombe d'un vague copain. Ne me racontez pas de bobards, petite.

Barbara se dressa :

– Je ne sais rien.

Elle para du coude un coup que Séruti n'envoya pas.

– Un jour, dit-il, à Frisco, j'ai eu affaire à une coriace dans votre genre. Elle se croyait championne et se foutait des tartes que je lui flanquais sur le museau. Alors j'ai employé les grands moyens : une injection d'essence de térébenthine ! C'est fou ce que ça peut distraire une femme.

– Vous êtes un monstre ! cria la jeune femme terrorisée. Au secours !

– Inutile de vous égosiller : les cloisons de ce salon sont capitonnées. Vous risquez simplement d'abîmer votre jolie voix, mon amour.

« Alors ? demanda-t-il. Cette formule ?

– Mais c'est épouvantable !

Elle se mit à sangloter :

– Je ne l'ai pas. Comment pourrai-je vous faire comprendre ça ? Mon voyage à K. était purement occasionnel. Ah, c'est atroce...

– M'est avis..., commença Steve.

– Moule-moi avec ton avis, trancha Séruti.

Il regarda ses deux complices.

– Filez d'ici, je m'occuperai seul de la petite.

Docilement, les deux hommes obéirent. Avant de passer le seuil, le gros Buch se retourna :

– Écoutez, boss, dit-il humblement, si vous n'avez plus besoin de la fille tout à l'heure, avant de la jeter vous seriez chic de me la prêter pour une petite heure. Je me sens sentimental comme une rosière, expliqua-t-il.

– Tu as entendu ? fit Séruti à la jeune fille lorsqu'ils se retrouvèrent seuls. Ce monsieur voudrait faire joujou avec toi. Tu ne connais pas Buch ? C'est un type qui passe pour avoir des passions honteuses. Un soir il a planté une fourchette dans le sein d'une donzelle. Le sang l'excite, tu ne peux pas savoir à quel point!

Il constata que Barbara, au paroxysme de la terreur, ne réagissait plus. Il la trouva belle, ainsi, tapie dans son épouvante. Quelque chose d'indéfinissable le fit frissonner.

Il vint s'asseoir sur le divan aux côtés de sa prisonnière et, bien qu'elle se débattît farouchement, réussit à lui enserrer la taille.

– Tu es très belle, chuchota le gangster. Très belle. C'est vraiment dommage d'amocher une gosse comme toi. Buch a raison, il faut que cette beauté serve à quelque chose.

Il la saisit et l'embrassa brutalement.

– J'avais oublié de te dire, chuchota-t-il doucement, une autre fois, à Chicago, j'ai découpé en petits morceaux une gonzesse qui m'avait doublé. En tout petits morceaux comme de la mortadelle. Tu sais que les Chinois sont des caïds dans ce genre de job ?

« Je ne suis pas chinois, mais je me défends aussi très bien… Tu verras. »

Un instant plus tard, Buch et Steve aux aguets entendirent, malgré l'épais capitonnage, un grand cri en provenance du salon.

CHAPITRE V

Buch et Steve partageaient la même cabine. Celle-ci se trouvait proche des appartements de Séruti, à l'avant du *Spring*. Le reste de l'équipage, composé de cinq marins suédois ne parlant pas un traître mot d'anglais, gîtait à l'arrière. Ces cinq hommes ne possédaient pas la moindre personnalité. C'était des types frustes qui accomplissaient leur travail consciencieusement lorsqu'ils naviguaient et se gorgeaient d'alcool en chantant des chansons de leur pays lorsque le yacht faisait escale. Ils ne s'inquiétaient pas le moins du monde de ce qui pouvait se passer sur le bâtiment, il s'agissait de bonnes brutes dociles dont l'indifférence présentait pour Séruti une garantie de sécurité.

Le soleil était déjà haut lorsque le gangster sortit de la cabine-salon pour gagner celle de ses deux acolytes. Il les tira de leur sommeil en les secouant sans ménagement.

– Hé ! bande de fainéants ! dit-il.

Steve se mit sur un coude et regarda son chef avec hébétude.

– Ben quoi, qu'est-ce qu'il y a, boss ? Le feu à bord, ou quoi ?

Buch s'assit sur sa couchette, jambes pendantes, et se mit à considérer ses orteils velus d'un air méditatif.

– Ouvrez grand vos manches à air, dit Séruti, et écoutez-moi bien. Mon… interrogatoire a été tout ce qu'il y a de négatif. Je suis maintenant certain que la môme Barbara ne sais rien de rien. C'est un hasard qu'elle se soit trouvée dans le pays au moment de l'affaire. Un hasard malheureux… pour elle.

Le gros Buch ouvrit largement la bouche et se mit à baver.

– Bon Dieu, soupira-t-il d'une voix rauque, qu'est-ce que vous y avez fait, à cette souris, dites, patron ?

L'Italien tira sur ses manchettes de soie et rajusta sa cravate impeccable.

– T'occupe pas, dit-il. Elle a eu un petit panachage de mes talents. Du bon et très bon, même; puis du mauvais, du très, très mauvais. Elle n'a pas parlé, et si elle n'a pas parlé, c'est qu'elle n'avait rien à dire. Conclusion : il y a un troisième zig dans le circuit, et ce zig il faut le découvrir. Nous avons perdu trop de temps comme ça. Donc, je redémarre au point mort. C'est dans le Pays de Galles que tout a débuté, c'est là-bas qu'il faut aller chercher l'extrémité du fil conducteur. Seulement, il ne serait pas prudent que vous vous y rameniez. On ne sais jamais : le Yard est un clebs tenace, je suis certain qu'il y a encore des flics qui fouinassent dans le secteur. Qui sait s'ils n'ont pas vos empreintes ou un quelconque tuyau sur vous ; le soir où vous avez liquidé le gardien du cimetière, vous avez peut-être commis une connerie sans vous en rendre compte ; ils sont fortiches, les mecs ! Et puis, je ne tiens pas trop à circuler avec le barlu. Vous allez rester ici et tenir votre nez propre, compris ?

– O. K., boss.

Séruti lissa ses cheveux.

– Il y a la question de la fille, ajouta-t-il doucement.

– Ouais, renchérit Buch, soudain intéressé, qu'est-ce que vous comptez en faire, de cette moukère ?

– La mettre au frais, en attendant. Je l'ai enfermée dans la chambre blindée. Je vous laisse donc le soin de lui donner à becqueter. Mais écoutez-moi bien, et surtout toi, Buch : je vous interdis de toucher à un de ses cheveux. Si jamais l'un de vous porte la patte sur elle, ce que je lui ferai en revenant ne serait pas racontable dans un bouquin gros comme l'annuaire du téléphone.

– Mince, soupira Buch, et moi qui espérais me la farcir... J'avais quasiment un faible pour elle.

– Eh bien, remonte ta faiblesse, gros lard ; pour l'instant, j'y tiens à cette poupée... Compris ?

– Entendu, patron.

Le gangster eut l'air satisfait.

– Je ne sais pas combien de temps je resterai parti. Il faudra bien que je mette la main sur ce nom de Dieu de cadavre ! Passez tous les jours à la poste restante de Picadilly et demandez s'il y a quelque chose au nom de Fildam ; au cas ou j'aurai quelque chose à vous communiquer, c'est à cette adresse et à ce nom que je vous enverrai un message.

« Steve, pendant que je prépare ma valise, débarque-moi la De Sotto.

Avant de sortir, il se retourna et, les mains aux hanches, accabla les deux hommes d'un regard appuyé.

– J'espère pour vous que tout sera O.K. pendant mon absence, hé ?

Steve et Buch inclinèrent gravement la tête.

* *
*

L'auberge du Lion et de la Licorne à K. était une construction de l'époque victorienne, prétentieuse et rustique. Son propriétaire, Mac Bourh, un gros Irlandais à la peau luisante comme une engelure, y pratiquait une cuisine robuste à des prix acceptables.

En cette saison il n'avait d'ordinaire aucun pensionnaire et ses journées n'étaient égayées que par les visites de naturels du pays entrant pour boire un bol de punch ou un verre de bière. Aussi accueillit-il avec des transports d'allégresse le riche étranger qui venait de descendre d'une rutilante De Sotto.

À la demande de celui-ci concernant un hébergement de plusieurs jours, il ouvrit des yeux incrédules :

– Par saint Patrick, Milord, bégaya-t-il, c'est la Providence qui vous envoie ! Présentement, on jeûne vingt-quatre heures sur vingt-quatre en Angleterre, et voilà que vous débarquez le lendemain du jour où nous avons tué le cochon ! Si vous aimiez la rouelle aux marrons, le boudin à la crème, les andouillettes à la française, les pieds panés, les... enfin, tout ce que ce brave animal nous offre comme mets de premier choix, vous serez servi, et servi comme un prince, je vous le promets !

Séruti se déclara enchanté et dit qu'il faisait entièrement confiance à son hôte pour le bien traiter.

Visiblement, ce débordement de promesses gastronomiques de la part de l'aubergiste figurait en quelque sorte l'avant-garde de sa curiosité. L'arrivée de cet étrange personnage le plongeait dans un abîme de mystères, et l'Italien, en parfait psychologue, comprit qu'il n'aurait aucun repos avant d'avoir donné à l'Irlandais une explication satisfaisante de sa venue dans ce bourg perdu.

– Vous devez vous demander qui je suis et ce que je viens faire ici en plein hiver, n'est-ce pas, M... ?

– Mac Bourh, balbutia l'aubergiste.

– N'est-ce pas, M. Mac Bourh ?

– Ben…, bêla le malheureux.

– Je suis américain, révéla Séruti.

– Je m'en doutais, avoua le gros homme.

– Je suis un journaliste et je fais des papiers sur la criminologie en Angleterre.

– Seigneur ! ponctua l'aubergiste, admiratif.

– J'ai vu dans la presse qu'il s'en était passé de drôles, dans le coin, et je suis venu fourrer mon grand pif dans les affaires de K. Vous comprenez, M. Mac Bourh ?

L'Irlandais comprenait, il le dit sur plusieurs modes différents.

– Fort bien, je suis absolument certain qu'un homme comme vous, occupant une position prépondérante dans ce village… (l'hôtelier eut un geste de modestie que Séruti stoppa avec autorité)… prépondérante, dis-je, a dû remarquer pas mal de choses. Qui est shérif, dans ce pays ?

– Jo Simpleton.

Séruti se fit indiquer le domicile du représentant de la loi et dit en bouclant la ceinture de son pardessus en poil de chameau :

– Je vais interviewer ce personnage. En attendant, soyez assez bon, cher Monsieur, pour me faire préparer un copieux repas à base de ce pauvre porc, mort hier à la fleur de l'âge. Et aussi (il prit son temps pour enfiler ses gants fourrés)… et aussi, Mister Mac Bourh, réfléchissez aux événements qui se sont déroulés à K. la semaine passée. Un... accident pénible et un assassinat, bigre ! Je serais heureux d'avoir votre opinion sur tout cela, ce soir, devant un bon verre de gin.

Il sortit lentement, huma l'air glacé soufflant de la lande, et, après avoir contourné un groupe d'enfants occupés à mettre au point une patinoire, il se dirigea vers la maison de Simpleton, le shérif.

CHAPITRE VI

Jo Simpleton ressemblait à un mât de cocagne. Il mesurait plus de deux mètres et son corps mince, étroit, étiré et presque cylindrique, était surmonté d'une tête étrange, rousse et échevelée. Il considéra l'arrivant avec mauvaise humeur.

– C' qu' v' v'lez ? fut tout ce qui sortit de ses lèvres qu'il ne se donna même pas la peine d'entrouvrir.

Son œil apathique n'eut pas une lueur, fût-ce d'intérêt. Il continua à tisonner le poêle de faïence occupant le centre du poste de police.

Il paraissait avoir oublié l'arrivant comme s'il se fût agi d'un simple colimaçon.

Séruti sortit de sa poche un étui à cigares et le colla sous le nez du shérif.

– Dites, patron, vous en avez souvent de pareils, dans votre patelin à la noix ?

Le représentant de la loi se redressa, il regarda alternativement Séruti et les cigares, mais toujours sans montrer ses sentiments (en considérant qu'il pût en éprouver). À la fin, son regard s'immobilisa sur l'étui que tendait l'Italien.

– Piochez ! conseilla celui-ci. Ce sont des Bayanos. Ça vient du Brésil. Vous ne connaissez pas le Brésil, shérif ? Un bien beau pays. J'y ai fait un reportage sensationnel, l'an dernier.

– Journaliste ? demanda le shérif.

Séruti songea que son interlocuteur avait l'air un tout petit peu plus intelligent qu'un chapeau de paille défoncé, mais à peine plus.

Le policier prit un cigare qu'il se mit à rouler entre ses doigts.

– Ils sont chouettes, pas ? insista Séruti.

– Sûr, approuva le shérif.

– Maintenant que les présentations sont faites, on va pouvoir causer, reprit l'Italien.

Il reservit son histoire de journaliste américain chargé d'une enquête sur les modes d'investigation en Angleterre. Il dit que son attention avait été attirée par les derniers événements de K. et qu'il voulait opérer une contre-enquête à seule fin de voir si les méthodes des U.S.A. pouvaient concurrencer celles du Royaume-Uni.

Les yeux du shérif s'éclaircirent quelque peu.

– Vous êtes un sacré petit dégourdi de Ricain, hé ? lâcha-t-il. Et vous venez ici pour vous fout' de not' gueule, hé ?

– Vous n'y êtes pas du tout, trancha vivement Séruti. Il ne s'agit pas de se moquer de qui que ce soit, bien au contraire. Je pense que si vous n'avez pu encore élucider le mystère, c'est que celui-ci doit être épais comme du goudron, et c'est pour cela qu'à mes yeux il offre un intérêt exceptionnel, shérif. Alors j'aimerais que nous reprenions l'affaire ensemble et que nous tâchions de réussir là où les dégourdis du Yard se sont cassé le nez. Dites, bon Dieu ! ça serait pas au petit poil, si vous aviez votre nom en caractères gros comme ça dans la presse des deux hémisphères, avec votre photo sur tous les angles et celles de votre femme, de vos chers, de votre cousin germain et du gars qui amène le journal dans votre boîte à lettres ?

Pour le coup, le visage du shérif refléta presque de l'intelligence.

– C'est à voir, dit-il.

– O. K. ! cria Séruti. Mon nom est Curt Vings, de Detroit.

Il attira un tabouret à lui du bout de son soulier vernis et s'y assit après avoir retroussé son large pardessus.

– Si on commençait tout de suite, Simpleton, vous ne croyez pas ?

– Ça pourrait se faire, admit le shérif en rechargeant son poêle.

– Bon, alors commençons par le commencement, c'est-à-dire par... l'accident de Peter Lanshill.

– Accident, fit le shérif.

– D'ac'. On peut tout de même en parler, ça n'est pas défendu.

– Ça ne l'est pas, fit le shérif. Le gars était un jeune chimiste de Londres. Il avait hérité une bicoque de son oncle, la grande maison au bout du village; et il venait y passer quelques jours de temps à autre.

– Je sais déjà ça, et alors ?

– Un soir, il nettoyait son revolver, la femme de ménage l'avait vu en partant. Il le graissait. Une demi-heure plus tard, le facteur a entendu une détonation et il m'en a dit deux mots en passant. Je suis allé sur les lieux à tout hasard, j'ai retrouvé Lanshill sur la carpette de son bureau avec un petit trou au milieu du front. L'arme se trouvait à côté de lui. Accident, quoi ! Ces chimistes, c'est comme les poètes, ils ont la tête ailleurs, il a dû appuyer par mégarde sur la gâchette…

Séruti réfléchit :

– Il s'est passé combien de temps entre le moment où ce facteur a entendu la détonation et celui où vous vous êtes présenté au domicile de Lanshill ?

Le shérif fit un bref calcul mental.

– Peter, le facteur, était à bicyclette, il avait fini sa tournée et ne s'est pas arrêté en cours de route. Il n'a pas mis plus de dix minutes pour arriver jusqu'ici. Le temps qu'il me raconte – parce qu'il faut que je vous dise : il est bègue… Bon, et le temps que je sorte la voiture…

Mettons que je sois arrivé une petite demi-heure après le décès…

– Vous n'avez rien remarqué d'anormal ?

– Par le Seigneur ! s'exclama le shérif. J'ai trouvé le cadavre, c'est déjà pas si mal…

– Bien sûr, fit en riant Séruti, mais je veux dire : vous n'avez pas aperçu de présence quelconque dans les environs ? Ni entendu de bruit ?

– Rien !

– Vous êtes certain ? Ne prenez pas mon insistance en mauvaise part, shérif, mais, vous savez, il arrive que lorsqu'on se trouve sous le coup d'une émotion – et, fatalement, la découverte du corps a dû vous en causer une –, on ne prête guère attention aux choses secondaires. Voyons, comment était la porte ?

– Fermée. Il n'y avait que celle de derrière qui était ouverte.

– Vous en êtes bien sûr ?

– Comme de votre infernale curiosité, mon garçon, affirma le shérif.

– Ne vous fâchez pas, shérif… Il faut bien être curieux pour percer un secret. Et cette mort en est un, croyez-moi. Les meubles étaient-ils ouverts ? les tiroirs ?

– Vous voulez dire : avait-on fouillé ? Eh bien oui, on avait fouillé, mais c'était Lanshill lui-même qui l'avait fait. La femme de ménage en a témoigné. Il cherchait précisément son revolver. Il ne se souvenait plus où il l'avait fourré…

– Drôle d'idée que de vouloir brusquement un revolver et de se mettre à le nettoyer comme si on voulait s'en servir au plus tôt.

– La maison de Lanshill, je vous l'ai dit, est tout au bout du village, par conséquent elle touche à la lande. Or, c'est plein de chats sauvages, dans ce coin, et il paraît qu'ils venaient miauler la nuit sous les fenêtres de Lanshill. Il avait décidé – toujours d'après le témoignage de la femme de ménage – de les mettre en fuite en tirant quelques coups de feu.

– Hum, ça me paraît valable, reconnut Séruti. Donc, voilà pour le chimiste, passons maintenant au sacristain : que savez-vous de lui ?

Le shérif abattit son gros poing sur la table.

– Je ne sais pas quel est le nom de Dieu de sagouin qui a tué le père Bell, dit-il, mais si je le tenais, sûr que je lui écraserais la gueule à coups de talon. Y avait pas plus brave homme que lui à cent lieues à la ronde. Là, on n'a rien trouvé, rien que ce mot de la main du vieux, dans lequel il parle d'une auto bleue et de types à mines patibulaires qui lui auraient réclamé la clé de l'église, le Diable sait pourquoi ! On a retrouvé l'auto, à ce qu'il paraît, elle appartenait à une amie du jeune Lanshill, une certaine miss Spage. Elle a donné son emploi du temps pour la nuit du crime. Du reste, j'ai vu cette fille à l'auberge où elle s'est arrêtée. Elle était bien seule, et elle avait pas du tout une tête de criminelle, j'en réponds sur la tête de ma fille qui est sur le point d'accoucher.

– Et l'on n'a pas aperçu d'autres autos bleues dans le pays ?

– Pas la queue d'une. Et d'autres non plus, qu'elles soient rouges, jaunes ou bien vertes ! À K. il n'y a que trois voitures : la mienne, celle du docteur et celle du boulanger, et tout le monde les connaît si bien que, même sur son lit de mort, le plus sourd et le plus gâteux des habitants du patelin saurait les identifier au bruit. Elles ont toutes leurs particularités. La mienne, c'est une Ford 1930 et y a une aile qui frotte un peu par terre. Celle du toubib, c'est une voiture française, une Citroën, je crois que ça s'appelle, vous savez, avec les roues de devant motrices… Quant à celle du boulanger, c'est une je-sais-pas-quoi qui date au moins de la reine Victoria : un vieux coucou à capote dans lequel il fourre son pain pour faire ses tournées.

Séruti se frotta le menton.

Un petit déclic venait de se déclencher dans son crâne, semblable à celui qui précède la sonnerie d'un réveille-matin.

– Je crois que ça suffira comme prise de contact, chef, dit-il. Prenez donc encore un cigare.

Il se leva.

– Peut-être pourriez-vous me refiler le nom et l'adresse de cette fameuse femme de ménage ?

– La vieille Gergie ? Vous la trouverez à l'auberge, elle va tous les soirs faire son plein de punch chez Mac Bourh.

– Eh bien, mais ça me paraît aller, remercia Séruti. Bye, shérif.

Il redescendit la rue et le shérif qui le suivait du regard le vit entrer dans le bureau de poste.

CHAPITRE VII

John Sutton poussa un soupir et battit faiblement des paupières. Une douleur aiguë lui vrilla le derrière de la tête. Avec difficulté il porta la main à ce point sensible de son individu. Ce que ses doigts touchaient était insolite : cela avait une forme ovoïde et possédait les dimensions d'un œuf de pigeon. Le vieux domestique se souvint alors qu'il avait été assommé. Il réussit à se lever et, tout chancelant, se dirigea vers le lavabo. Il fit couler à fond l'eau froide et plongea sa tête chauve dans la cuvette. La douleur se calma, ou du moins devint supportable.

Le vieillard se rappela qu'il existait une petite pharmacie dans la salle de bain. Il y découvrit de la teinture d'iode, du sparadrap et se fit un pansement sommaire. Après quoi il alla à la salle à manger afin d'y boire deux doigts de brandy.

Après cette faible ingestion d'alcool, il décida que tout allait bien et qu'il avait suffisamment songé à lui comme cela. Il décrocha le téléphone afin d'avertir sa maîtresse de l'agression.

Margaret Bert lui répondit que Barbara venait de quitter son domicile. Le vieux Sutton attendit donc le coup de sonnette de la jeune femme dont l'arrivée ne pouvait tarder. Il tenait à la mettre au courant des événements avant de prévenir la police.

Mais il eut beau suivre sur le cadran de la pendulette la fuite des minutes, puis des heures, Barbara Spage n'apparaissait toujours pas. Il se convoqua pour une courte conférence afin de statuer sur la situation. Puisque la jeune fille tardait, mieux valait alerter la police, car le temps travaillait en faveur des agresseurs. Il fit le numéro du Yard et expliqua très calmement ce qui venait de se passer. Les services de police dépêchèrent deux enquêteurs : l'inspecteur Standley et son adjoint. Les deux hommes procédèrent aux investigations d'usage. Pendant ce temps, l'impatience du vieux domestique concernant le retour de sa maîtresse se changea en inquiétude. Il fit part de celle-ci aux policiers, mais ces derniers n'y attachèrent pas une très grande importance, car ils supposèrent – Sutton le comprit au regard entendu qu'ils échangèrent – que Barbara devait roucouler dans les bras d'un amoureux. Lorsque les policiers eurent fait leur travail, ils s'en allèrent en priant le valet de chambre de les informer du retour de la jeune femme.

John constata qu'il était neuf heures du matin. Jamais, au grand jamais Barbara n'avait complètement découché. Il se passait quelque chose d'insolite. Sutton quitta le cottage et se rendit à la station de taxis la plus proche. Il monta dans l'un d'eux après avoir donné l'adresse de Margaret.

* *
*

– Mais c'est fou ! C'est inimaginable ! s'écria la petite femme rondelette. Attaqué par des bandits au milieu de la nuit ! Et vous ! Vous, John, un si digne serviteur…

– Madame peut mesurer toute l'inconséquence de notre triste époque, souligna le vieillard tristement.

Il vérifia du doigt si son croisillon de sparadrap adhérait bien à son crâne, ce qui eut pour effet d'amener un sourire sur les lèvres de Margaret Bert.

– À quelle heure miss Spage a-t-elle quitté votre charmante soirée ? demanda-t-il.

– Trois heures environ.

– Seule ?

– Seule, oui.

– Et…

Il hésita à formuler sa question.

– Personne ne… ne lui avait fixé un rendez-vous quelconque auquel elle eût été susceptible de se rendre ?

Margaret réfléchit. C'était là un genre d'exercice auquel elle ne se livrait pas souvent.

Elle évoqua pour elle-même les phases de la nuit et revit son amie et Séruti en conversation à l'écart du salon.

– Écoutez, dit-elle, j'ignore si elle a accepté un rendez-vous ou non, mais elle a passé une partie de son temps en compagnie d'un riche Américain qui fait une croisière en Angleterre. C'est un être tout à fait envoûtant... tout à fait ! répéta-t-elle sur un ton de regret. Il a un yacht mouillé sur la Tamise et... Oui, au fait, il se pourrait qu'il ait proposé à Barbara de le lui faire visiter...

Elle eut un rire fêlé.

– Un yacht, c'est beaucoup mieux que des estampes japonaises pour attirer une jolie femme. Je sais bien que Barbara n'est pas une femme comme les autres, mais...

– Sont-ils partis ensemble ? trancha le vieillard.

– Non, M. Séruti nous a quittés le premier...

John Sutton s'inclina cérémonieusement.

– Merci pour vos précieuses indications, madame, et merci de même pour votre accueil bienveillant. Je ne pense pas qu'il soit arrivé un accident quelconque à ma maîtresse, néanmoins je vais de ce pas téléphoner aux hôpitaux...

– Téléphonons d'ici ! s'écria vivement Margaret.

Elle commençait à trouver du piquant à l'aventure. Mais elle flairait un drame – un drame qui romprait la monotonie de son existence désœuvrée.

Ils appelèrent les uns après les autres tous les hôpitaux de la capitale, puis demandèrent la morgue et le service des renseignements généraux de la police. Nulle part ils ne trouvèrent trace de Barbara Spage.

De guerre lasse, Sutton se retira.

Il musarda un instant dans les rues en quête d'une inspiration.

Il ne pouvait s'empêcher de faire un rapprochement entre l'agression nocturne dont il avait été victime et la disparition de sa maîtresse. Après avoir essayé de téléphoner à la maison, et n'ayant pas obtenu de réponse, il se fit conduire au port. Il se disait que ce Séruti dont lui avait parlé Margaret possédait un signalement curieux. Margaret ne lui avait pas donné le nom de son yacht, mais il n'eut aucune peine à le découvrir sur le registre des Douanes. Un docker lui indiqua le *Spring* et il se dirigea d'une allure circonspecte vers le beau bateau blanc, immobile le long du quai.

Deux matelots blonds nettoyaient le pont à grande eau. Ils échangeaient parfois quelques mots dans une langue que John Sutton ne comprit pas, mais qu'il estima devoir être du scandinave.

Tout possédait un aspect extrêmement normal. Ce yatch somptueux n'avait vraiment rien de suspect, aussi le grave et gourmé valet de chambre allait-il s'éloigner lorsqu'il eut un sursaut et poussa une exclamation, lui que tout le monde citait comme un modèle de flegme.

Là-bas, sur le pont vernissé, un homme venait de surgir d'un escalier, et cet homme n'était autre que le plus gros de ses agresseurs de la nuit.

Décidément, la situation s'éclairait. Il s'agissait d'une vaste machination dirigée contre Miss Barbara Spage. Il convenait donc d'avertir la police au plus tôt.

Le vieillard se glissa derrière une pile de caisses et continua d'observer les allées et venues à bord du *Spring*. Le bandit s'étirait et bâillait à s'en décrocher la mâchoire. Il s'accouda au bastingage et contempla l'agitation du port. Le digne John Sutton priait le ciel pour que le gangster s'éloignât. Tant qu'il occuperait cette position, il ne pourrait courir au poste de police le plus proche. C'était, pour l'heure, son plus farouche désir et le digne homme en avait des fourmis plein ses vieilles jambes. Mais le gros type du pont prenait son temps, il paraissait avoir l'âme bucolique ce matin-là. C'était extrêmement fâcheux. Il est pénible de tenir dans son champ visuel un individu qui s'est autorisé à vous réveiller brutalement au milieu de la nuit pour vous molester, et de ne pouvoir galoper jusqu'à ce qu'on rencontre un policeman…

Sutton songeait à cela en serrant ses poings noueux comme une poignée de sarments.

Comme son agresseur ne s'éloignait toujours pas, il se résolut de tenter un mouvement de retraite. Pour cela, il se mit à marcher à reculons tout en s'appliquant à demeurer hors de la vue de l'homme. Il arriva néanmoins un moment où l'éloignement augmentant la perspective, la pile de caisses fut un paravent insuffisant. Cela importait peu, du reste, car le gangster, pour l'instant, tenait sa tête inclinée : il se consacrait à un exercice délicat consistant à cracher dans l'eau afin d'y faire des ronds.

C'était très bien ainsi. Sutton s'apprêta à courir. Pour ce faire, il drapa contre ses jambes maigres les pans de son pardessus comme font avec leurs jupes les vieilles ladies avant de monter en automobile.

C'est à cet instant qu'il sentit un corps dur dans son dos. Il se retourna afin de voir contre quel objet il s'adossait. Il constata que c'était contre un pistolet automatique. À l'autre bout de l'arme se trouvait l'homme qui l'avait assommé.

– Alors, gouailla Steve, M. Manche-à-balai fait son petit fûté, hé ? Il est fortiche, comme le père Sherlock Holmes, le larbin-maison !

Un rictus rageur tordait sa lèvre inférieure.

– Tu vas m'obéir, Toto, ordonna Steve. Fais demi-tour et grimpe sur le bateau. On va marcher ensemble comme deux copains, pas, frisé ? Et si tu essaies de jouer au pompier, je t'en mets une demi-douzaine dans l'usine à viande.

John Sutton baissa la tête et marcha en direction du *Spring*.

CHAPITRE VIII

Séruti achevait ses *eggs and bacon* lorsque le téléphone sonna.

– C'est pour vous, Milord, lui dit l'aubergiste.

L'Italien se précipita dans le réduit à balais où se trouvait l'appareil mural. Il reconnut la voix sourde de Steve.

– Ah bon, c'est toi, fit-il à mi-voix. Tu as trouvé mon message ?

– Quel message ? questionna Steve.

– Celui que je t'ai adressé poste restante, hier au soir…

– Je ne suis pas encore passé au bureau de poste.

Séruti fronça les sourcils.

– Bon Dieu, c'est ton petit doigt qui t'as dit que j'étais ici ?

– Ce serait plutôt ma matière grise, ricana Steve. C'est la seule auberge du bled, alors…

– Bon, admit Séruti, et qu'est-ce que tu me voulais ?..

Steve expliqua ce qui s'était passé avec John Sutton.

– Ce vieux schnock nous épiait du quai ; heureusement, j'étais allé chercher du tabac et, en revenant, je l'ai retrouvé derrière des caisses, en train de reluquer Buch.

– Et alors ? s'impatienta Séruti.

– Alors je l'ai prié poliment de monter à bord et nous l'avons bouclé dans la chambre blindée en compagnie de sa petite patronne.

– Vous avez bien fait, approuva le gangster. Comment avait-il eu l'idée de venir au port ? Vous l'avez… questionné ?

– Et comment ! Qu'est-ce que Buch y a mis dans les naseaux… Il paraît qu'il est allé chez la copine où vous avez passé la soirée. Elle lui a parlé de vous. Le vieux, qu'est pas la moitié d'un gland, a eu l'idée de ramener son pif dans le secteur. Il a reconnu Buch. Vous parlez d'un pot que je me sois trouvé là au bon moment ; sans ça, à l'heure actuelle, on serait, Buch et moi, derrière une demi-douzaine de barreaux… Dites voir, boss, qu'est-ce qu'on en fait, du grand-père larbin ? Buch a trouvé dans la cale un long morceau de plomb et il avait idée de l'entortiller au cou du zig et de le foutre dans le fleuve…

Séruti hésita une seconde.

– Laissez-moi réfléchir à ça, je vous dirai ce que j'ai décidé ; en attendant, surveillez nos oiseaux de près… Je t'ai envoyé un message pour que, justement, vous me téléphoniez.

– Ah ?

– Oui, je voulais vous demander de faire fonctionner votre mémoire, les gars. Le jour du sacristain…

– Ouais ?

– Lorsque vous lui avez demandé s'il avait entendu une bagnole dans la nuit, qu'est-ce qu'il vous a répondu ?

Il y eut quatre secondes d'hésitation.

– Je me rappelle, dit enfin Steve, il a répondu que oui.

– C'est tout ce qu'il vous a dit à ce sujet ?

– Ben, attendez, oui, il me semble…

– Je croyais que vous m'aviez dit que le type avait pensé qu'il s'agissait d'une voiture du pays…

– Fort juste ! exulta Steve. Il a parlé de la bagnole du boulanger dont la grognasse devait accoucher ou je ne sais plus quoi…

– Du boulanger, tu es sûr ?

– Certain, maintenant.

Steve hésita et risqua :

– Pourquoi ?

– Parce que, répondit Séruti, dans ce patelin il n'existe que trois bagnoles, et *il est impossible de les confondre avec d'autres, je t'assure. Surtout celle du boulanger*… Bon, reprit-il. Ça suffit pour aujourd'hui, ouvrez l'œil et tenez-vous prêts à intervenir si je vous fais un petit signe. Compris ?

– Compris, boss.

Il y eut un déclic.

Séruti remit l'écouteur au crochet et retourna dans la salle commune.

Le gros Mac Bourh l'attendait, les yeux pleins de curiosité.

– C'était Londres, lâcha nonchalamment Séruti. Un correspondant américain de mes amis…

Comme il achevait ces mots, la porte s'ouvrit et une femme entre deux âges, mais plus près du second que du premier, entra dans la taverne.

Elle était vêtue grossièrement et sentait le rance. Ses cheveux grisonnants, huileux et mal coiffés, tombaient sur ses yeux.

– Tiens, vous voilà, Gergie, s'écria Mac Bourh. Par saint Patrick, je vous croyais disparue…

– Grippe, expliqua laconiquement la mégère.

Elle s'assit à une table et ordonna :

– Punch !

– Vous allez rattraper le temps perdu, bougre d'ivrognesse, déclara l'aubergiste. De l'alcool à ces heures ! Fichtre…

– Je vous paie, non ? se rebiffa-t-elle. Si vous n'aviez pas un ou deux clients assidus que la vie a malmenés et qui oublient leurs maux dans un verre de gin, vous feriez faillite, espèce de gargotier…

Le nom et la physionomie de l'arrivante avaient fait tiquer Séruti.

Il s'approcha d'elle en souriant et s'assit à proximité de la table.

– À la bonne heure ! tonna l'Italien. Cela fait plaisir de trouver une personne ayant son franc parler.

Il cligna de l'œil afin de ménager la susceptibilité de son hôte.

– Amenez deux punchs, patron, et mettez-les sur mon compte.

– Je suis journaliste, révéla-t-il à la bonne femme.

Elle se renfrogna.

– Et alors ? demanda-t-elle.

– Alors rien, je fais une petite enquête sur la mort de ce pauvre sacristain… Qu'en pensez-vous ?

– J'en pense rien, affirma vivement Gergie.

Son empressement intéressa Séruti qui se mit à étudier le comportement de la bonne femme.

– Votre pays est le théâtre de drames… sanglants, poursuivit-il. Un accident, un crime… Au fait, vous étiez la femme de ménage de Peter Lanshill lorsqu'il séjournait ici, n'est-il pas vrai ?

– Et puis ? riposta aigrement Gergie en engloutissant son punch.

– Ce ne doit pas être drôle d'être appelée à témoigner dans une histoire pareille ?

– Pourquoi ?

– C'est beaucoup de tracas.

Elle ne répondit pas.

– Un autre punch ? proposa Séruti.

C'est alors qu'elle éclata :

– Qu'est-ce que vous cherchez à savoir, hein ? Je suis une honnête femme, moi. Je n'ai rien à me reprocher. Et d'abord, fichez-moi la paix, qu'est-ce qui vous permet de vous installer ainsi à la table d'une dame ? Non, je n'ai pas besoin que vous m'offriez à boire, j'ai de l'argent !

Elle remonta sa jupe et farfouilla dans ses guenilles.

Elle en ramena un énorme porte-monnaie gonflé. L'ayant ouvert, elle en sortit une pièce de monnaie, mais l'œil exercé de Séruti avait eu le temps d'apercevoir, soigneusement pliés, plusieurs billets de cent livres.

La vieille surprit son regard investigateur et serra le porte-monnaie contre sa poitrine croulante.

– Fameux culot, ces journaleux ! grommela-t-elle.

Elle se leva et s'enfuit après avoir laissé sa pièce sur la table.

– Je me demande ce qui lui prend, fit l'aubergiste, lequel n'avait rien perdu de la scène. D'ordinaire, la mère Gergie ferait des bassesses pour un verre de n'importe quoi.

Étonné, il ajouta :

– Vous avez dû l'effrayer. Elle a eu peur…

– Oui, dit pensivement Séruti. C'est exactement ce que je pensais : elle a eu peur.

Il sourit à son hôte et se leva.

– Je sens qu'un petit tour ne me fera pas de mal.

* *
*

L'Italien faisait sensation avec son pardessus en poil de chameau, son cache-col rouge sang et ses chaussures de daim. Les rideaux se soulevaient sur son passage et les conversations s'arrêtaient lorsqu'il parvenait à la hauteur d'un groupe.

Le petit village était balayé par un vent violent qui soufflait de la côte. Séruti enfonça les mains dans ses poches et, la tête rentrée dans les épaules, gagna la boulangerie. Le magasin était vide. Une petite femme au nez pointu sortit de l'arrière-boutique et regarda curieusement.

– Puis-je voir le... patron ? demanda poliment le visiteur.

– Il dort.

– À ces heures !

– C'est que les boulangers travaillent une partie de la nuit... Mon mari commence à ne plus être jeune et il doit se ménager. Il retourne se coucher entre dix heures et une heure...

Séruti fit la grimace. Mais sa déception ne fut que passagère. Il se dit qu'une femme est toujours plus loquace qu'un homme.

– Eh bien, s'il dort, nous nous passerons de lui, décida-t-il joyeusement. Je voulais lui demander un renseignement, mais, du moment que vous êtes son épouse, je suis persuadé que vous ferez l'affaire. Il s'agit de… voyons, arrive-t-il à votre mari de se déplacer en voiture au milieu de la nuit ?

– Oh non ! répondit la petite femme au nez pointu. Jamais ! À son âge, c'est déjà bien assez d'avoir à se mettre au travail à minuit…

– Évidemment.

Séruti se racla la gorge. Le plus difficile restait à dire. Une maladresse pouvait tout perdre.

– Voyez-vous, Mrs…

– Porcht.

– Voyez-vous, Mrs Porcht, vous allez me trouver un peu indiscret, mais vous me le pardonnerez certainement lorsque vous saurez que je suis journaliste et… Américain. Je conduis pour mon journal une contre-enquête au sujet de l'affaire.

– Ah ! fit Mrs Porcht, plus craintive que jamais.

– Oui, et j'aimerais savoir comment il se fait que, la nuit où ce pauvre vieillard du cimetière a été assassiné, on ait entendu dans le village l'auto de votre mari.

La petite femme devint toute pâle.

– L'auto d'Arthur ? balbutia-t-elle.

Puis, soudain, son visage se décontracta.

– Oh ! Je sais, dit-elle. Le docteur Brown la lui a empruntée, car la sienne était en panne et il avait une visite éloignée à faire.

– Le docteur Brown, hé ?

– Oui.

– Vous êtes certaine que c'est cette nuit-là ?

– Pour sûr, mon bon monsieur. Le lendemain, le docteur venait de nous rapporter l'auto et discutait avec Arthur lorsqu'on est venu le chercher pour ce pauvre Mr Bell qui avait été tué à coups de revolver dans son lit.

– Voilà une explication très satisfaisante de ce que je considérais comme une petite énigme. Excusez-moi, Mrs Porcht. Vous savez, le métier de journaliste n'est pas drôle et vous oblige à importuner bien des gens, aussi est-ce une bénédiction du Ciel lorsqu'on tombe sur des personnes compréhensives comme vous.

Le compliment fit rosir la boulangère jusqu'à l'extrémité de son nez.

– Ça n'est rien, bégaya-t-elle, rien. Si vous avez besoin d'autres renseignements…

– Il est évident que je viendrai vous trouver.

CHAPITRE IX

Séruti se dirigea vers le cimetière. Depuis vingt-quatre heures qu'il se trouvait à K..., il y était venu à plusieurs reprises, car il se disait que le triste enclos formait comme le point de départ du mystère.

Il hésita un bref instant devant la porte, puis poussa la grille grinçante et entra. À cet instant, il faillit perdre l'équilibre. Il se rattrapa de justesse à la grille et regarda à ses pieds. Sa chaussure avait heurté la grosse pierre qui, plantée au milieu de l'allée, servait de buttoir au double vantail de la porte. Il pesta puis se tut tout à coup, le regard fixe. Un léger ricanement monta à ses lèvres. Il fit claquer ses doigts et, renonçant à pénétrer dans le cimetière, contourna l'église afin de revenir à la rue principale.

Sur sa demande, un gamin lui indiqua la demeure du docteur Brown. C'était un cottage à un étage du côté de la mer.

Séruti lut l'avis fixé à la porte :

Consultations tous les matins de dix heures à midi.

Un autre écriteau ordonnait :

Entrez sans frapper.

Il obtempéra et se trouva dans un vaste vestibule peint en jaune. Le docteur Brown devait avoir la manie des pancartes, car une troisième, soulignée d'une flèche rouge, indiquait le salon d'attente.

Séruti tourna une fois de plus le loquet dans cette étrange maison où l'on n'apercevait aucun domestique.

Il se trouva sur le seuil d'une pièce tapissée de papier brun foncé. Une table ronde et quelques sièges en composaient l'ameublement. Il y avait des revues déchiquetées sur la table et des paysans sur les sièges. Séruti prit place et attendit son tour.

De temps à autre, un double bruit de pas se faisait entendre dans le vestibule. Puis la porte d'entrée claquait et celle du salon s'entrouvrait.

– Au suivant ! disait une voix sèche.

Un à un, les patients sortirent. Lorsqu'il n'y eut plus personne dans la petite salle d'attente, le gangster consulta sa montre. Elle indiquait midi moins cinq. La porte s'entrouvrit une fois de plus et la voix redit :

– Au suivant.

Alors Séruti se leva et avança. Il vit le docteur Brown : un homme chauve d'une quarantaine d'années, aux yeux bleuâtres.

Sans un mot, le praticien conduisit Séruti à son cabinet de consultation.

Il lui désigna un siège et demanda :

– Que puis-je pour vous ?

– Beaucoup, répondit Séruti en déboutonnant son pardessus.

Le docteur eut l'air surpris et chaussa de grosses lunettes d'écaille blonde pour mieux examiner ce singulier client.

– C'est-à-dire ? insista-t-il.

– Vous pouvez beaucoup pour moi, reprit Séruti. Vous pouvez me donner un très important renseignement; vous pouvez me dire, par exemple, où vous avez planqué le cadavre de Peter Lanshill…

– Quoi !

Le médecin s'était à demi dressé sur son siège.

– Ne faites pas le crétin, toubib, vous n'avez pas la tête à ça.

L'insulte fit sursauter le praticien. Il mit la main sur le téléphone et déclara :

– Si vous ne sortez pas immédiatement, je préviens le shérif !

– Chiche ! lança Séruti.

Il sortit son étui à cigarettes et, d'une seule main, l'ouvrit et en sortit une cigarette à bout doré.

– Vous êtes fou ! glapit le docteur Brown.

– D'ac', je suis fou. Qu'est-ce qu'on fait aux types

dingues, hé ? On les met au sec. Allez-y, vieux, téléphonez au shérif...

L'homme chauve ne fit pas un mouvement. Visiblement, les événements le décontenançaient.

– Qui êtes-vous ? demanda-t-il enfin.

– Le père Noël ou bien le président Truman, ou n'importe qui. Là n'est pas la question, comme disait le bourreau au condamné qui se trompait de porte... Écoutez-moi bien, docteur Brown. Il y avait dans ce coin un type du nom de Lanshill, il lui est arrivé un accident. Ça, vous le savez. Et vous savez aussi que, la nuit ayant succédé à son inhumation, il a été déterré. Vous ne pouvez pas l'ignorer, because c'est vous qui l'avez déterré et qui l'avez chargé dans la bagnole du boulanger...

– Que racontez-vous là !

– La vraie vérité du Bon Dieu, doc. Vous avez exhumé Lanshill, vous l'avez coltiné dans la guimbarde du père Porcht. Et ça, ç'a a été une erreur, doc ! Parce que j'ai des cellules grises qui fonctionnent et qu'il ne m'a pas fallu trois cents ans pour comprendre ce qui s'est passé. Vous avez une bagnole française, une traction avant Citroën. Or ces voitures sont extrêmement basses, la vôtre n'aurait pu entrer dans le cimetière à cause du gros buttoir de pierre qui se dresse à l'entrée. Seule la bagnole du boulanger pouvait y pénétrer, car elle est plus haute sur pattes qu'une chèvre. Les enquêteurs ne se sont aperçus de rien, tout bonnement parce qu'il gelait, cette nuit-là, et que le sol n'a conservé aucune trace de pneus...

Séruti se tut et considéra son interlocuteur d'un air satisfait.

– Suppositions purement fantaisistes, ronchonna le docteur.

– Non, dit l'Italien. Voyez-vous, doc, je possède une sorte de sixième sens (un peu comme les femmes) qui me dit lorsqu'une supposition est fondée. La mienne l'est ! C'est un pays de fouineurs, ici. Dès qu'un étranger rapplique, au bout de trente secondes toute la contrée le sait. C'est donc un gars du coin, un gars qui n'attire pas l'attention qui a enlevé le corps...

– Stupide ! murmura le docteur Brown.

– Qu'est-ce qui est stupide ?

– Cette déduction ! La nuit, surtout les nuits d'hiver, les gens du pays sont claquemurés chez eux...

– Vous m'avez inconsciemment donné la preuve que vous êtes mêlé à cette affaire, Brown.

– Vraiment ?

– Réfléchissez, vieux : pas une seconde vous n'avez manifesté de doute ou de surprise au sujet de l'exhumation de Lanshill. En conséquence, *vous savez qu'il a été déterré*. Si vous le savez...

L'Italien se tut et pâlit. Sans qu'il eût rien remarqué, Brown avait saisi un pistolet dans le tiroir de son bureau et le braquait dans sa direction.

– Un petit malin, hein ? fit le médecin. Trop curieux, mon garçon. Il est rare que les gens curieux se fassent vieux.

– Je suppose que vous allez m'emmener faire un tour ? demanda Séruti.

– Mon Dieu, c'est la conclusion logique de votre petite enquête, non ?

– O. K., admit le gangster. Vous êtes un espion, pas vrai, toubib ? Il y a combien de temps que vous êtes installé dans la région ? Très peu de mois, je suppose. Vous étiez chargé de Lanshill, car cela faisait un bout de temps qu'il travaillait à sa découverte. Et vous avez tout préparé. Seulement, il vous a eu avec son pied mécanique, le mec. Et comment ! Alors vous avez été obligé de le sortir de son caveau…

– Mon Dieu, que vous êtes bavard ! soupira Brown. Et vous ? La Bande rouge, hé ? Mon petit bonhomme, vous n'êtes pas de taille à lutter avec nous.

– C'est à voir, sourit Séruti.

– C'est tout vu.

Un coup d'œil suffit à l'Italien pour comprendre que s'il se laissait tomber à genoux il serait, pendant quelques secondes, à l'abri du pistolet derrière le bureau. Il s'abattit sur le parquet. À la même seconde, une balle traversa le rembourrage de son pardessus à l'épaule. Décidément, le docteur Brown avait des réflexes !

En l'espace d'un éclair, Séruti dégagea son lüger de sa gaine et tira au jugé à travers le meuble. Brown poussa une sourde exclamation et se renversa en arrière, puis tomba de son siège. Séruti ne se montra pas, parce qu'il croyait à une ruse. Il rampa le long du bureau et observa son adversaire. Ce dernier devait avoir reçu une balle dans la cuisse, car un filet de sang coulait de son pantalon. Il poussait un gémissement saccadé.

– Jetez votre arme ! ordonna Séruti.

Pour toute réponse, le médecin tira dans sa direction.

– Dégourdi ! gouailla le gangster.

Il visa posément et envoya une balle qui fit éclater la main dans laquelle Brown tenait son revolver. Le médecin ne proféra pas un son et s'évanouit. Séruti s'approcha de lui et le désarma, après quoi il alla fermer les portes et fenêtres de la demeure. Puis il revint s'asseoir dans le cabinet de consultation. Il mit les pieds sur le bureau, croisa les mains sur son ventre et attendit que le docteur Brown voulût bien reprendre ses sens.

CHAPITRE X

L'honorable valet de chambre fit un pas dans la cabine où venait de le propulser Steve. Il constata au premier coup d'œil que les murs étaient composés de plaques d'acier. Une petite ampoule préservée par une grille, comme dans certains établissements publics, répandait en permanence une lumière bleuâtre et malsaine qui finissait par meurtrir les yeux.

La petite pièce ne comportait, en fait d'ameublement, qu'un large divan. À terre se trouvait un plateau contenant des aliments.

John Sutton s'approcha du divan et eut un haut-le-corps en y découvrant sa maîtresse.

Barbara se tenait à plat ventre sur les coussins. Elle était si parfaitement immobile que le vieillard la crut morte et poussa une sourde exclamation.

– Miss, balbutia-t-il. Miss ! Seigneur, les bandits !

La jeune fille remua faiblement, mais assez cependant pour pouvoir regarder l'arrivant. En reconnaissant son vieux domestique, elle sursauta.

– C'est vous, John ?

– Oui, Miss, pour vous servir…

Elle eut un geste d'accablement. Sa voix résonnait sourdement comme la voix d'une personne qui, mentalement, s'est retiré du monde.

– Que vous ont-ils fait ? questionna Sutton.

Elle enfouit son beau visage dans son bras replié et se mit à pleurer. Elle pleurait gravement, sans émettre un son, sans tressaillir. Son désespoir était si poignant que, dominant son naturel déférent, Sutton vint s'asseoir auprès d'elle et se mit à lui caresser les cheveux en prononçant des paroles de réconfort.

– Ce sont d'immondes brutes ! dit soudain Barbara.

– Ils vous ont frappée ?

Elle baissa la tête.

– Si ce n'était que cela. Mais l'autre, cet Américain, ce gangster qui joue à l'homme fatal, il… Oh c'est affreux, John, je crois que jamais plus je ne pourrai sortir dans la rue et regarder mes semblables en face.

Le vieillard comprit de quel genre de sévices sa maîtresse avait été victime. Son visage ridé eut une brusque crispation.

– Ils paieront, Miss ! proféra-t-il.

Barbara se dressa, les joues empourprées par l'excitation.

– Oui ! Oui ! dit-elle. Jurez-moi que vous m'aiderez à me venger, John. Je veux tuer cet homme de mes propres mains. La justice serait trop douce pour lui. Seule sa vie pourra laver l'insulte…

– Calmez-vous ! supplia le vieillard. C'est entendu, Miss, nous vous vengerons.

Il raconta à la jeune fille l'agression de la nuit.

– Je le savais, dit-elle, ils m'en ont parlé. Et il paraît, mon bon John, que vous avez refusé de leur indiquer le coffre. Merci pour votre courage. Et compliment pour votre flair : vous avez trouvé le lieu de ma détention en un temps record…

Ils passèrent le reste de la journée à deviser et à analyser la situation. Sutton redonnait beaucoup d'espoir à Barbara.

– Nous sommes à Londres, affirmait-il. Deux disparitions, soyez-en persuadée, ne peuvent passer inaperçues, surtout que le Yard est au courant et Miss Bert aussi. À l'heure qu'il est, elle doit téléphoner aux quatre coins de la ville pour essayer d'avoir de vos nouvelles… La police a au moins autant de jugeote que moi : si j'ai découvert votre retraite, elle la découvrira aussi. Je suis certain que, d'ici ce soir, nous serons délivrés de cette bande infernale…

Les heures passèrent sans apporter de changement à la situation. Le silence le plus total régnait à bord. Aucun bruit ne parvenait aux captifs. Sutton en conclut que la pièce était insonorisée. Quelques heures plus tard, Buch lui en donna confirmation.

Il entra, un sourire cruel aux lèvres.

– Je parie que vous faites des suppositions, mes enfants… Vous attendez les condés, je parie ? C'est pas ça ? Eh bien, ils sont venus, les flics, venus et repartis… Cette pièce est prise sur la chambre des moteurs et, à moins d'être l'architecte qui a conçu ce rafiot, personne ne pourrait se douter de son existence. Le mec qui a eu l'idée de cette planque était un fortiche. Et comment ! Vous pouvez gueuler et même faire partir des pétards, personne n'entendra. La Rousse a demandé après Séruti. Séruti est en voyage… Lorsqu'il reviendra, il devra se présenter à Scotland Yard pour dire qu'il ne sait rien. C'est vrai, il ne sait rien. Steve et moi, on sait rien non plus. Rien, absolument rien ne prouve que nous sommes dans le bain… Du reste, les matuches ont été tout ce qu'il y a de déférents. Je leur tire mon galure, aux flics de votre pays : ils sont courtois comme des ambassadeurs…

Il s'interrompit pour regarder le plateau de victuailles.

– Elle n'a rien bouffé, la pépé ? fit-il. Et le vieux crabe non plus ? Alors, tas de noix, il vous faut p't'être du quinquina pour vous ouvrir l'appétit ?

– Vous l'avez belle pour nous narguer, dit paisiblement Sutton. Mais lorsque nous serons sortis de cette prison flottante, vous aurez tout lieu de regretter vos actes… et vos sarcasmes !

– Déconne pas, hé, locdu ! Quand tu seras sorti

d'ici… Non mais, tu crois au père Noël ? C'est-y que t'es retombé dans l'enfance, mon chou ? T'en sortiras, de cette cabine, d'ac', mais ce sera avec dix kilos de plomb attachés autour du cou, et on te flanquera dans cette nom de Dieu de Tamise où les poissons se casseront les dents sur ta sacrée carcasse !

Il poursuivit méchamment :

– Si c'était moi, ça serait déjà fait depuis un bon moment, mais le boss a ordonné le sursis, p't'être qu'y veut que tu tiennes compagnie à cette souris. Il a l'air d'y tenir, à la pépée. Pardon ? Faut croire qu'elle fait les pieds au mur de première…

Il ricana encore une fois ou deux et sortit en haussant les épaules.

– Nous sommes perdus, soupira Barbara.

C'était également l'avis du domestique, mais il surmonta son appréhension.

– Courage, murmura-t-il. Nous ne devons en aucun cas désespérer, Miss.

Il consulta sa montre et vit qu'il était dix heures. Aucun hublot ne donnait sur la mer. Sutton soupira en pensant au ciel étoilé et à la brise salubre. Il aurait fait bon respirer à pleins poumons l'air froid de la nuit.

Il invita sa maîtresse à prendre un peu de repos.

Pour ce faire, il lui abandonna le divan et se confectionna une couche sommaire sur le plancher au moyen de coussins.

… La journée du lendemain se passa dans une sorte de torpeur. Barbara et son vieux valet de chambre consommèrent les victuailles qui leur étaient proposées. Ils faisaient mine de ne pas entendre les lazzis que leur prodiguaient Buch ou Steve. Ils parlaient très peu, car les pensées qu'ils avaient à échanger s'avéraient fort déprimantes. John Sutton ne se départissait pas de sa dignité. Il remontait sa montre et la consultait avec sa proverbiale gravité, comme pour apprécier la distance le séparant d'un rendez-vous, et Sutton songeait avec beaucoup de mélancolie que ce rendez-vous était un rendez-vous avec la mort.

À son âge, il pouvait envisager le trépas sans trop d'effroi. Souvent, très souvent, le vieillard avait pensé à l'échéance fatale, mais il espérait que celle-ci s'effectuerait le mieux du monde et qu'il pousserait le dernier soupir dans son lit, comme un honnête homme. Il jugeait désagréable la probabilité de son assassinat.

Lorsque la seconde nuit commença, il eut un sursaut. Non ! Il ne pouvait attendre son propre massacre comme un mouton attend le coup de couteau du boucher. Pourquoi ne tenterait-il pas quelque chose ? Perdu pour perdu, mieux valait…

Le déclic de la porte le fit tressaillir. C'était Buch qui faisait son apparition avec le plateau de victuailles.

– Alors, les enfants ? On ne s'ennuie pas trop ?

Il déposa son plateau à terre. La minute qui allait

suivre devait marquer profondément et subtilement la vie de John Edward Sutton.

Comme dans un rêve – mais n'était-ce pas un cauchemar ? –, le vieillard arracha une chaussure du pied de Barbara, l'assura dans sa main et, au moment où Buch se courbait pour déposer le plateau, l'abattit de toutes ses forces sur la nuque du gros homme.

Le choc fit basculer Buch en avant. Sutton ne lui laissa pas le temps de reprendre son équilibre. Avec ses propres chaussures – et sans en ôter ses pieds –, il frappa la tête du gangster. Il frappa de tout son cœur, le souffle court, jusqu'à ce qu'il fût fatigué, au point de ne plus pouvoir lever la jambe.

Alors il se rassit sur le divan et dit à Barbara médusée :

– Miss, puis-je vous demander de prendre le revolver qui doit se trouver dans la poche de cette crapule ?

CHAPITRE XI

Le docteur Brown rouvrit les yeux.

– Salut, dit Séruti. Vous avez fait bon voyage ?

Le praticien se releva et, en chancelant, gagna le plus proche fauteuil. Il paraissait assez groggy.

– C'est ça, asseyez-vous donc et reprenez vos esprits, nous allons en avoir besoin.

– Que me voulez-vous ? questionna Brown d'une voix pâteuse.

– Oh, dites, Toto, vous avez la comprenette difficile, aujourd'hui ! Pour vous faire le résumé des chapitres précédents : nous parlions de feu Peter Lanshill et je voulais savoir où vous aviez planqué sa carcasse. Je désire toujours le savoir et vous allez me l'apprendre, aussi vrai que nous sommes ici tous les deux.

– Je n'ai rien à dire.

– On croit ça.

– Vous ne saurez rien !

Séruti ricana :

– Vous dites tous ça, au début, et puis le moment vient où vous en lâchez plus qu'on ne vous en demande.

On est obligés de vous arrêter, sans quoi vous raconteriez la vie de votre grand'mère par dessus le marché.

Brown semblait récupérer très vite.

– Tout cela dépend à qui vous avez affaire, fit-il d'un air dédaigneux. Je serais très surpris si vous parveniez à m'arracher un mot que je ne désire pas prononcer…

– Eh bien, dit languissamment Séruti, la pratique nous dira si vous possédez une force de résistance suffisante.

Il s'approcha de son interlocuteur et lui ramena les bras derrière le dossier du fauteuil ; après quoi il attacha ses poignets au moyen d'un cordon de tenture.

– Privé de ses mains, un homme ne vaut plus grand' chose, dit-il.

Il se mit de côté afin d'éviter une ruade possible de son… patient. Puis il alluma une cigarette et lorsque celle-ci fut amenée à un état d'incandescence satisfaisant, il l'appliqua contre la joue de Brown.

Ce dernier se raidit et ses mâchoires se crispèrent. Un faible gémissement fusa de ses narines. Une immonde odeur de chair brûlée se répandit dans le cabinet.

– Alors ? demanda Séruti. Toujours muet ?

Le médecin ne répondit rien.

– Passons à un autre genre d'exercice.

Il sortit de sa poche un couteau à cran d'arrêt qu'il ouvrit d'une seule main.

– Puisque vous êtes toubib, vous devez connaître les points de votre carcasse où je peux enfoncer cette lame sans risquer de vous envoyer dehors ? Vous ne voulez pas non plus me les indiquer ? Soit ! C'est à vos risques et périls.

L'Italien tourna l'arme dans ses doigts comme pour en faire miroiter la lame.

Il posa la pointe du couteau sur le ventre de sa victime.

– Une dernière fois, voulez-vous me dire ce que vous avez fait du mort ?

– À votre place, dit Brown, je réfléchirais avant que de commettre un meurtre. Nous sommes en Angleterre, ici, et ils ont la corde facile.

– Le *Yard* n'est pas de taille à m'effrayer, affirma Séruti.

– Hum, avec le crime qui a été commis, les flics sont sur le qui-vive.

– Oh, la barbe ! s'écria soudain l'Italien. Vous ne voulez pas me faire signer une assurance tous risques, non ? Je suis un gars méthodique, dans mon genre, et je procède par ordre. Pour l'instant, je n'ai qu'une chose en tête : retrouver la formule du petit chimiste. Donc, il me faut son cadavre, puisque je suppose qu'elle est cachée dedans.

Il réfléchit :

– Dites, vieux, vous l'avez trouvée, cette putain de formule ?

– *Mon secret est à moi*, cita Brown.

Séruti poussa le manche du couteau et il sentit la lame pénétrer à travers l'étoffe, puis rencontrer la peau.

– Voilà un costume qu'il faudra stopper, dit Séruti. Un costume, ça se recoud, mais les tripes, c'est plus calé à raccommoder…

Doucement il continua à enfoncer le couteau. De grosses gouttes de sueur ruisselaient sur la face blême du médecin.

– À votre avis, j'ai perforé quoi ? demanda Séruti. Un peu de bidoche, mais rien d'essentiel encore, pas ?

Il imprima au couteau un léger mouvement de rotation et Brown ne put retenir un cri d'atroce souffrance.

– Tu chantes, c'est bon signe, murmura entre ses dents le gangster. Parle ! Parle, bon Dieu, où tu vas baver des briques avant longtemps !

Brown possédait une force de caractère peu commune. Il eut la force de hausser les épaules.

– Salaud ! gronda Séruti.

Son visage subissait des transformations sensiblement pareilles à celles de son souffre-douleur. Mais, chez lui, ça n'était pas la souffrance qui agissait ; plutôt une sorte de hideuse frénésie. Un grain de folie homicide troublait ses yeux d'ordinaire imperturbables.

– Tu ne veux toujours pas parler ?

– Je regrette, balbutia le médecin.

– Qu'est-ce que tu regrettes ?

– De n'avoir pas le droit de parler. Comprenez ! Comprenez que je ne parlerai pas, car je n'est pas le droit de le faire. Aucune douleur, aussi extrême qu'elle soit, ne pourra faire de moi un traître.

– Un héros, hé ? glapit Séruti. Un sacré fumier de héros qui pense à sa médaille à titre posthume… Tiens, mon connard, prends ça dans la brioche…

Il pesa de toutes ses forces sur le manche de corne. Il y eut un bruit atroce, assez semblable à celui que produit une fourche plantée dans un tas de paille. Brown poussa un hurlement désespéré ; ses yeux s'exorbitèrent et devinrent troubles ; son menton retomba sur sa poitrine.

Séruti ressortit la lame d'un coup sec et l'essuya à la veste de Brown. Il se leva et fit les cent pas dans le cabinet. De temps à autre, il jetait un coup d'œil à sa victime et constatait que le sang ruisselait par la jambe de son pantalon… Le docteur Brown n'était pas encore mort, mais il ne valait guère mieux. Son corps était parcouru de légers soubresauts et il geignait faiblement.

Séruti l'abandonna à son coma et se mit en devoir de fouiller toute la maison sans grand espoir, car il pensait bien que le corps de Lanshill n'était pas dans le pays ; du moins, s'il s'y trouvait encore, ne recelait-il plus la formule.

Mais il fallait à tout prix essayer de trouver un indice. Il était impossible que la chaîne s'interrompît si brusquement. Il devait bien exister un maillon qui lui permettrait de poursuivre sa marche à la formule. Brown appartenait sans aucun doute à un réseau d'espionnage étranger. Il avait des complices quelque part dans le Royaume Uni, lesquels s'étaient chargés de Lanshill…

Ses investigations furent stériles. Jusque dans les moindres détails, la maison du médecin était une maison d'honnête praticien. Elle ne contenait aucune indication concernant ses activités extérieures. En vain le bandit chercha-t-il une adresse, un indice.

Il revint au cabinet. Brown était mort pendant sa perquisition.

– Tu m'as eu, hein ? lui dit Séruti en le giflant.

L'Italien était dans une rage folle. Il éprouvait le besoin de détruire, de tuer pour se soulager… Jusqu'ici, ses hommes et lui avaient liquidé deux personnes et kidnappé une jeune fille sans obtenir de résultats.

Ça barderait pour son matricule, à New York ; les dirigeants de sa bande n'aimaient pas les échecs.

Il s'apprêtait à quitter le domicile du mort lorsque le téléphone se fit entendre. Après une courte hésitation, il décrocha.

– Allô ? fit-il en imitant la voix sourde de Brown.

C'était une femme qui appelait, une femme dont il lui parut reconnaître le timbre.

– C'est moi, souffla la femme.

– Qui, vous ? osa Séruti.

– Gergie !

Le gangster fronça le nez.

– Ah bon, et alors ?

– V'là, docteur, y'a à l'auberge un type qui se dit journaliste et qui a essayé de me tirer les vers du nez au sujet de ce que vous savez. Mais j'y ai rivé son clou. J'suis partie... Seulement voilà, s'il revenait à la charge, je voudrais pas commettre une bévue...

– Vous avez raison, dit Séruti en prenant une décision soudaine. Venez me voir immédiatement, nous parlerons de cela.

– Ça ne vous dérangera pas ?

– Non, j'ai terminé les visites à mon cabinet.

– Alors, j'arrive.

Il raccrocha et alluma une nouvelle cigarette. Décidément, la chance lui souriait de nouveau. La vieille ivrognesse savait quelque chose sur la mort de son maître.

C'était elle, le maillon manquant à la fameuse chaîne... Elle parlerait.

Il s'embusqua derrière les rideaux de la croisée afin de surveiller le mouvement de la petite rue conduisant au pavillon du médecin.

Il ne tarda pas à voir déboucher la vieille. Elle portait une houppelande et s'était drapée dans un gigantesque fichu. Il la laissa entrer et l'entendit refermer la porte.

– Où êtes-vous, docteur ? cria-t-elle à la cantonade.

– Ici ! lança Séruti.

Gergie s'approcha et frappa.

– Entrez, entrez, ma bonne ! dit gaiement le gangster.

L'ivrognesse parut.

Sa surprise fut telle, de se trouver face à Séruti, qu'elle ouvrit la bouche et ne songea pas à esquisser le moindre mouvement de retraite.

– 'jour, Gergie, dit le bandit. C'est le docteur que vous vouliez voir ? Tenez, le voici !

La vieille dame jeta un regard au fauteuil où gisait Brown, le regard vitreux et la bouche ouverte. Elle porta son poing à sa bouche et contint un cri d'épouvante.

– Asseyez-vous là, ordonna Séruti. Maintenant, vous allez me dire tout ce que vous savez sur Lanshill, grand'mère, autrement je vous envoie rejoindre le toubib en enfer.

– C'est lui qui l'a tué, haleta la vieille femme en désignant Brown.

Sa peur la rendait volubile ; c'est ce qu'avait escompté l'Italien.

– Je suis revenue sur mes pas en entendant un coup de feu, révéla Gergie. Mr Peter était mort. Et il y avait le docteur avec un autre homme. Ils m'ont dit qu'il s'agissait d'un accident et ils m'ont donné mille livres pour que je dise que Lanshill nettoyait son arme quand je suis partie.

– O. K., fit Séruti, et c'est tout ce que vous savez ?

– Je le jure !

– Par où les deux hommes ont-ils filé ?

– Je ne sais pas.

– Lorsque vous avez quitté la maison, la porte de derrière était-elle fermée ?

– Oui.

– Et, bien entendu, il est inexact que Lanshill ait bouleversé toute la maison avant de mourir.

– Bien entendu.

Séruti regarda la vieille femme.

– Curieux que ces deux types vous aient laissée repartir. En général, les assassins ne prennent pas de risques. Surtout lorsque le témoin est une espèce de poivrote ; cela ne vous a pas surpris ?

Elle hocha du chef et se renfrogna.

Elle commençait à surmonter son effroi et reprenait confiance.

– Dites donc, reprit Séruti, le mec qui accompagnait le doc, comment était-il ?

Elle réfléchit.

– Grand, blond…

Le gangster fit la grimace.

– C'est tout ?

– Oui.

– Aucun autre signe distinctif ?

– Je… non… Attendez, si : il avait une tache de vin sur la joue.

– Vous voyez bien que vous avez l'esprit d'observation, dit Séruti. Voilà qui précise le bonhomme : un grand blond avec une tache de vin sur la joue, c'est déjà un signalement. Brown l'a nommé devant vous ?

– Non.

– Dites donc, mémé, faudrait voir à retrouver la mémoire, si vous voulez avoir l'occasion de boire encore des verres de gin.

La vieille Gergie se tordit les mains.

– Je ne sais rien d'autre, mon bon monsieur.

– Très bien, admit Séruti.

Il mit nonchalamment la main dans sa poche droite, ouvrit son couteau sans le sortir de son vêtement.

– Est-ce que je peux partir ? s'inquiéta Gergie.

– Pourquoi pas ? fit l'homme.

Il désigna le plafond et dit :

– Oh, par exemple ! Regardez…

Instinctivement, la vieille leva la tête. Séruti sortit promptement le couteau ouvert de sa poche et le lui plongea dans la gorge.

Gergie émit un gargouillis, essaya de s'agripper au bureau du docteur, mais ses doigts ne rencontrèrent que le vide et elle s'effondra sur le parquet.

Séruti, qui pensait aux mille livres dont elle avait parlé, la fouilla afin de lui prendre son porte-monnaie. Il ne perdait jamais une occasion de faire « rentrer » de l'argent.

CHAPITRE XII

Il trouva une issue de service derrière la maison du docteur Brown. Celle-ci accédait à la lande, parmi des arbousiers et des lantisques. L'Italien serra la ceinture de sa gabardine et contourna le village en se dissimulant derrière la maigre végétation. Il se trouvait maintenant avec deux meurtres à son actif. Sa situation était grave : s'il était pris, il était bon pour la corde sans rémission possible.

Cette perspective ne lui souriait guère, son élégance naturelle l'amenant à préférer les cravates de soie de la 55e Avenue plutôt que les cravates de chanvre offertes par les services pénitenciers du Royaume Uni. Or, il était impensable que le Yard le laissât tranquille. L'affaire allait faire un boom retentissant ; tout le comté allait être passé au peigne fin. Son signalement serait communiqué de partout et il n'avait guère de chances de passer au travers les mailles du filet qui lui serait tendu.

Soucieux, il regagna l'auberge.

– Ma note ! demanda-t-il.

– Vous partez ?

L'aubergiste semblait consterné.

– Un jour ou deux, mais je reviendrai…

Quelques minutes plus tard, il fonçait sur la route de Londres. Il fallait jouer serré s'il ne voulait pas aller manger le porridge de Sa Majesté. Il calculait au bout de combien de temps les choses se déclencheraient : cela pouvait aller très vite. Que quelqu'un ait besoin du docteur, et l'on découvrirait les deux cadavres. La police serait immédiatement sur pied ; le shérif se souviendrait de lui, sans compter qu'il devait y avoir au moins une demi-douzaine de commères qui l'avaient vu entrer chez le médecin… L'aubergiste parlerait de son départ précipité ; la *De Sotto* serait repérée aussi facilement qu'un éléphant blanc dans les rues de Londres.

Il réfléchissait à toute allure. La route suivait les contours sinueux de la falaise ; c'est alors qu'il eut une idée.

Il coupa les gaz et descendit de l'auto. Se penchant par-dessus le parapet, il vit, à plus de trente mètres sous lui, les rochers battus par les flots. Un mince rictus se dessina sur ses lèvres. Il sonda la route ; à l'exception d'un chemineau qui allait, son baluchon sur le dos, elle était absolument déserte. Séruti grimpa dans la grosse voiture et procéda à un petit numéro de transformation. Il sortit de sa malle un autre pardessus, une casquette de sport, un foulard et des lunettes noires. Il s'affubla de tout et remit le moulin en marche ; il conduisit à petite allure jusqu'à ce qu'il eût rattrapé le chemineau.

– Hello ! interpella-t-il.

L'homme le regarda mornement.

– Ça vous dirait, de faire un bout de chemin avec moi ? demanda le gangster.

L'homme eut l'air stupéfait. Il regarda la voiture et son conducteur, et émit un petit sifflement incrédule.

– Vous voulez dire que je pourrais monter dans ce cuirassé ?

– C'est ça…

– Mince, alors, mon prince, des types comme vous, il n'y en a pas des tonnes.

– Allons, grimpez, je suis pressé, insista Séruti.

L'autre ne se fit pas prier davantage et se glissa sur la luxueuse banquette de cuir.

– Y a-t-il une gare dans les environs ? demanda le gangster.

– À trois miles, dit le chemineau, mais c'est une question qui ne doit pas bien vous tracasser, avec un bateau pareil…

Séruti démarra en ayant soin de tenir la portière ouverte de son côté. Lorsque la *De Sotto* eut pris de la vitesse, il braqua à fond en direction du garde-fou, et sauta. Il y eut un fracas et un cri déchirant. Quelques secondes qui parurent infinies au gangster et enfin l'explosion qu'il attendait se produisit. L'Italien s'approcha du vide. Il ne vit qu'un monceau de ferrailles en feu.

– O. K., murmura-t-il.

Pour la police britannique, M. Alfredo Séruti était mort, désormais ; mort en fuyant les lieux de son crime. C'était une sacrée chance d'avoir eu ce chemineau sous la main.

* *
*

En descendant du train, il héla un crieur de journaux. Il n'était pas encore question des meurtres de K..., mais on parlait néanmoins de Séruti, et ce, en des termes peu élogieux.

L'article de première page était illustré par la photographie de son yacht et s'intitulait : « *Le riche Américain était en réalité un chef de gang. Il kidnappe une jeune fille de la bonne société, miss Barbara Spage, et lui fait subir d'odieux sévices.* »

Suivaient des explications détaillées sur l'agression, l'enlèvement, la perquisition, le kidnapping du valet de chambre et... l'évasion !

Le gangster proféra d'abominables blasphèmes en apprenant que ses deux molosses s'étaient laissés manœuvrer par un vieillard.

Il se promit de raconter un tas de choses à Buch et à Steve si jamais il avait l'occasion de les revoir ; mais, en ce qui concernait Buch, la chose paraissait improbable, car il avait été arrêté avant d'avoir repris conscience ; seul Steve avait réussi à échapper à la police en plongeant dans la Tamise au moment où les *cops*, alertés par John Sutton, faisaient le siège du *Spring*.

On recherchait activement Séruti.

Sa première pensée fut pour se féliciter de son « accident ». Il lui devenait en effet indispensable d'être considéré comme mort. Car il lui fallait une totale liberté pour mener à bien sa mission. Désormais, il n'avait plus le droit d'échouer. Il avait perdu trop de plumes dans l'aventure pour que ses associés lui pardonnassent un échec. Séruti savait que, s'il rentrait à New York les mains vides, on l'inviterait sans coup férir à « faire un tour » et il avait personnellement emmené trop de gens « faire un tour » pour ignorer en quoi cette promenade consistait.

C'était l'homme aux froides déterminations.

– Je trouverai la formule, décida-t-il, quand bien même je devrai fouiller toute l'Angleterre pouce par pouce…

Il entra dans un bar et commanda un double scotch. Il avait eu une belle idée de prendre les mille livres de la vieille Gergie, sans quoi il se serait trouvé sans fric.

Il tira la liasse de billets de sa poche. Ceux-ci étaient reliés par une agrafe. Séruti allait enlever l'agrafe lorsqu'il s'aperçut qu'un morceau de papier y était demeuré. Sur ce morceau de papier, on pouvait lire : « Westminster Foreign Bank, London ». Les billets étaient neufs.

– Bon Dieu ! s'exclama Séruti.

Il sourit.

CHAPITRE XIII

L'inspecteur Standley se leva et, d'un geste, refoula les journalistes.

– Allons, gentlemen, dit-il avec un léger sourire sous sa moustache bien taillée. Laissez miss Spage tranquille. Après toutes ses émotions, elle n'a guère le cœur à répondre à vos questions.

En maugréant, les représentants de la presse abandonnèrent le bureau de l'inspecteur.

Standley se retourna vers la jeune fille et son domestique.

– Je pense, dit-il, qu'après le signalement extrêmement précis que vous m'avez donné de Séruti, Miss, nous ne tarderons pas à mettre la main sur lui.

Barbara secoua la tête.

– Je souhaite, dit-elle, que son passé soit assez chargé pour le conduire à la potence. Je n'oublierai jamais la nuit qu'il m'a fait subir.

– Je vous comprends, assura l'inspecteur. Miss, si je puis me permettre un conseil, vous devriez aller passer quelque temps dans un coin tranquille, histoire de vous changer les idées…

Barbara ne répondit rien.

– Inspecteur, fit timidement Sutton, lequel se tenait assis sur le bord de son siège avec son chapeau melon sur les genoux, vous dites qu'on a trouvé sa trace à K… ?

– Oui, et il en est parti précipitamment ce matin, aux dires de l'aubergiste. Je me demande du reste pourquoi.

Comme il achevait ces mots, le téléphone fixé au mur sonna. Standley se leva pour répondre.

– Hé ? Allô ? Vous dites ? Hé !

Son visage se transformait rapidement et revenait à une gravité soudaine. Lorsqu'il raccrocha, il fit quelques pas dans le bureau, les mains dans le dos, puis vint se planter devant Barbara.

– Je crois que vous voici vengée, Miss Spage. Séruti est mort, sa voiture a capoté et a défoncé le garde-fou séparant la route de la falaise. Elle a fait une chute de trente mètres et a pris feu ; on a retrouvé le corps parmi les décombres…

– Il y a une justice immanente, vous voyez…, murmura Sutton.

Barbara était devenue toute pâle.

– Mon Dieu, fit-elle, c'est la main de la Providence.

L'inspecteur la regardait en biais.

– Vous ne croyez pas si bien dire. Cet homme a expié ses crimes ; il venait d'assassiner deux personnes, le médecin du village et la femme de ménage de Peter Lanshill.

Il reprit sa marche dans la pièce, l'air lointain. Tout à coup, il fit volte-face et éclata :

– Si nous parlions à cœur ouvert ? Vous ne croyez pas que ces meurtres de K. sont un peu mystérieux ?

Il s'assit sur son bureau.

– Voyez-vous, Miss Spage, un enfant de trois ans ferait un rapprochement entre ces crimes et… votre aventure. Vous êtes allée à K. la veille du jour où fut assassiné le sacristain, le pauvre diable parle de votre automobile dans une lettre inachevée. Je sais que vous avez pu produire un alibi qui nous a amenés à conclure que la victime avait commis une erreur et qu'elle avait dû penser que les individus suspects dont elle parle étaient arrivés au village à bord de votre voiture. Seulement, votre rôle ne s'arrête pas là ! Cette bande d'Américains perquisitionne chez vous, vous kidnappe ainsi que votre valet de chambre… Et la bande en question est elle aussi mêlée aux événements de K., puisque Séruti est allé y perpétrer deux crimes !

Le policier fit claquer ses doigts.

– Nous allons bien voir, murmura-t-il.

Il appuya sur le timbre et un planton parut.

– Faites amener le détenu que nous avons arrêté à bord du yacht ! ordonna-t-il.

Les trois assistants n'échangèrent plus une parole avant l'arrivée de Buch.

– Salut, m'sieurs-dame, gouailla ce dernier.

– Vous vous appelez Douglas Buch, commença l'inspecteur.

– Je sais, ricana Buch.

Le policier regarda froidement le gros homme.

– Je tiens à vous faire remarquer, dit-il, que nous ne sommes pas en Amérique. Ces façons cavalières ne sont pas appréciées de ce côté-ci de l'Atlantique.

– Ben quoi, protesta le gangster interloqué, je peux pas vous chanter un cantique…

– Que pensez-vous du charmant village de K. ? demanda à brûle-pourpoint l'inspecteur.

Il vit que son interlocuteur cillait légèrement.

– Connais pas, dit Buch.

– Pourtant, le *Spring* a fait escale au port le plus proche.

– Et alors, ça prouve quoi ?

– Est-ce vous qui avez tiré sur ce malheureux gardien ?

– Qu'est-ce que c'est que cette histoire ? demanda Buch.

Le policier passa outre.

– Que cherchiez-vous dans l'appartement de Miss Spage ?

– Du pognon.

– Pourquoi a-t-elle été enlevée ?

– P't'être que le boss avait le béguin…

Le bandit coula un regard luxurieux sur Barbara.

– Il a bon goût, ajouta-t-il.

– Il avait, rectifia l'inspecteur.

Buch le regarda d'un air interrogateur.

– Il est mort, révéla Standley. Il s'est tué aux premières heures de l'après-midi au volant de sa *De Sotto*. Un pasteur a découvert son corps carbonisé…

Buch en eut la respiration coupée.

– C'est pas vrai ! bégaya-t-il.

– Tout ce qu'il y a de plus vrai, assura le policier. Vous pourrez vous en assurer d'ici quelques heures ; j'ai en effet demandé qu'on m'adresse la photographie par bélino.

– Eh bien, c'est un drôle de coup ! dit Buch. Un drôle de coup. Merde ! se buter de cette façon, un caïd comme Séruti…

– Vous feriez mieux de parler, invita l'inspecteur.

– Sapristi ! éclata le bandit. Vous avez le crâne plus dur qu'un dessus de cheminée en bronze. Vous l'avez dit tout à l'heure, inspecteur, nous ne sommes pas, hélas, aux U.S.A., ici. Nous sommes dans un sacré Bon Dieu de pays où on vous met une corde autour du cou avant que vous ayez le temps de dire ouf. De l'autre côté de la mare aux harengs, on peut discuter avec les flics ; on peut traiter avec eux, mais ici, bernique ! Alors, ouvrez grands vos manches à air et écoutez ça : je ne sais rien et je plaide non coupable, vous pigez ? Bon, c'est tout ce que vous pourrez tirer de moi.

Standley haussa les épaules.

– Vous êtes têtu, garçon, mais vous reviendrez certainement sur votre décision. Nous saurons trouver assez de preuves pour vous convaincre de meurtre. D'ores et déjà, vous êtes retenu sous l'inculpation de vol avec effraction, de voies de fait et de séquestration. Emmenez-le, gardes !

L'inspecteur se tourna vers Barbara et Sutton.

– Je suis convaincu que vous avez trempé dans cette affaire, dit-il.

– Merci, dit sèchement Barbara. Mais je vous serais reconnaissante de conserver pour vous vos opinions ; elles sont extrêmement injurieuses à mon endroit. Encore une fois, inspecteur, si je suis mêlée à cette histoire, il s'agit d'une coïncidence rocambolesque.

– Que cherchait ce Buch dans votre appartement ? trancha Standley.

– Il vous l'a dit : de l'argent.

– Ouais, fit mélancoliquement le policier, vous m'avez l'air d'être tous des conjurés du silence ! Soit ! Nous savons être tenaces. Vous pouvez vous retirer.

Barbara Spage et John Sutton ne se le firent pas répéter deux fois et abandonnèrent précipitamment le bureau de l'inspecteur.

Ce dernier les regarda partir en mordillant l'extrémité de ses ongles. Après quoi, il alla au téléphone et sonna son supérieur.

– Standley ! s'exclama ce dernier, vous tombez à pic : je viens de recevoir un message du ministère de l'Intérieur. Ordre de laisser tomber votre enquête sur les crimes de K., l'enlèvement et tout, occupez-vous des chèques lavés, mon cher.

Standley n'en crut pas ses oreilles.

– Mais, chef…, balbutia-t-il.

– Ordre du ministre ! coupa le *chief inspector* en raccrochant.

CHAPITRE XIV

L'employé de la banque considéra son interlocuteur et réfléchit.

– Un grand blond avec une tache de vin sur la figure ? répéta-t-il. Hum, non, il serait passé quel jour ?

Séruti haussa les épaules.

– Je n'en sais rien… Voilà dix succursales de la Wesminster que je fais pour demander si on le connaît. Jusqu'ici, je n'ai pas obtenu de résultat.

– Vous êtes de la police ?

– Je suis détective privé.

L'employé – un petit homme triste et désenchanté – regarda l'Italien d'un air admiratif.

– Ça doit être passionnant, émit-il.

– Formidable, renchérit le gangster. Humphrey Bogart ne mène pas une existence plus marrante.

– Qu'est-ce qui vous fait croire que cet homme est client dans notre banque ?

Séruti expliqua que les billets délivrés par l'homme blond en règlement d'une facture étaient neufs et portaient après leur agrafe un fragment de papier sur lequel était inscrit le nom de la Wesminster.

– Il me semble que c'est maigre comme indication, dit l'employé. Cet argent a pu lui être remis par un tiers.

– D'accord, admit Séruti, mais comme c'est la seule piste qui s'offre…

Il fit un petit salut et s'éloigna.

Au dehors, il rajusta son cache-col. Bien que les journaux eurent annoncé sa mort, il prenait des précautions et dissimulait le plus possible son visage.

Il entendit derrière lui quelqu'un crier :

– Hep !

Instinctivement, il se retourna et il vit que l'employé lui courait après.

– Je crois que j'ai votre type sous la main, dit-il en haletant ; j'ai demandé au collègue qui m'a remplacé pendant quatre jours, le mois dernier, lors de l'enterrement de ma belle-mère ; il croit voir qui vous voulez dire.

Séruti retourna à la banque.

Le collègue du petit homme désenchanté était timide comme une première communiante.

– Oui, dit-il, c'est cela même, monsieur : un grand homme blond avec une tache rouge à la joue.

– Vous le connaissez ?

– Je ne l'avais jamais vu et je ne l'ai jamais revu, monsieur.

– Il n'y a pas moyen de savoir son nom, alors ? demanda Séruti, dépité.

– Oh si, monsieur, très facilement... Au service des archives, il doit y avoir son chèque...

– Ah ! il venait encaisser un chèque ! C'est vrai, je n'avais pas pensé qu'il en faut un pour retirer de l'argent d'une banque. Mais cela ne vous avance pas à grand-chose, puisque vous ne vous souvenez pas de son nom...

– Je vais demander les chèques réglés pendant la période d'intérim que j'ai effectuée au visas : quatre jours... Et je suis certain de le retrouver, car il y avait un petit trou dans ce chèque ; un petit trou produit par une cigarette au moment où il l'endossait.

– Bravo ! » s'exclama Séruti. Il sortit une livre de sa poche. « Pour vous, si vous me retrouvez le nom et l'adresse de ce zig à la tache de vin, promit-il.

Le garçon timide s'éclipsa. Son absence ne dépassa pas un quart d'heure.

– Voici ! dit-il en tenant un morceau de papier à l'Italien. Le nom et l'adresse...

– Well ! Voici deux livres, mes enfants, pour manger un hamburger à ma santé.

Il jeta un regard au papier et lut à mi-voix :

– *Maxence Streiner, 228, Windsor Street.* Un étranger, hé ?

– Sans doute, approuva le petit homme triste.

– Merci, répéta Séruti. Vous êtes des gars à la

hauteur, tous les deux. Si un jour votre boîte met la clef sous le paillasson, orientez-vous vers la police, vous y ferez certainement carrière.

* *
*

Un taxi le conduisit au 228, Windsor Street. Il s'agissait d'un immeuble à étages occupé par un club. Séruti conserva le taxi et pénétra dans une crêmerie située en face du club.

Il acheta des caramels et, tout en faisant mine de chercher de la monnaie, questionna :

– Voilà une paie que je n'ai pas mis les pieds dans le quartier, c'est toujours ce vieux Streiner qui s'occupe du club ?

– Sûr, fit le crémier d'un ton maussade.

Apparemment, il ne devait pas nourrir une forte sympathie pour le type à la tache de vin et, par ricochet, son antipathie s'étendait à tous les gens qui se prétendaient les amis du type blond.

Séruti le quitta.

– *Georgina Hotel*, ordonna-t-il au chauffeur.

C'était dans cet établissement d'apparence neutre et de troisième classe qu'il était descendu. Tandis que le taxi se faufilait à travers le flot des voitures, le gangster examinait la chaussée. Ce spectacle animé le détendait. Il pouvait réfléchir à son aise, dresser un plan d'action… Certes, il avait laissé des plumes dans la bagarre, mais le résultat valait la peine. Et quelque chose lui disait qu'il n'était pas loin d'aboutir…

– Bon Dieu ! hurla-t-il tout à coup.

Le conducteur se retourna.

– Quelque chose qui ne gaze pas, m'sieur ?

– Arrêtez-moi là.

Il paya en vitesse et descendit. Puis il repéra la silhouette qui s'éloignait sur le trottoir et il pressa le pas. Parvenu à la hauteur du passant, il dit :

– Hello, boy !

L'interpellé sursauta et porta la main à sa poche.

– Fais pas le crétin, Steve, dit Séruti.

– Formidable ! jubila Steve. Vous parlez d'un hasard… (Il baissa le ton.) Alors, vous êtes pas clamsé, comme l'ont dit les canards ? Je me disais aussi : un type qui a votre coup de volant ne s'amuse pas à rentrer dans les barrières ! Formid', patron ! Formid', comme caïd on ne fait pas mieux ! Alors, c'est une feinte, hein ?

– Peut-être bien.

– Vous n'avez pas froid aux châsses, dites ! Pardon, quel champion !

– Et toi, Steve, tu as réussi à te faire la paire ?

– Et comment, mais ce pauvre c… de Buch s'est laissé fabriquer. Vous voyez pas qu'il jacte ?

– Non, dit l'Italien, j'ai confiance, il n'est pas très fûté, mais pour ce qui est de la discrétion, on peut lui voter une médaille… Qu'est-ce que tu as fait, depuis hier ?

Steve fit la grimace :

– Je me suis planqué dans les docks, histoire de me faire sécher, puis je suis allé manger un sandwich. C'est de la pommade : j'ai pas de pèze…

– Filons à mon hôtel.

– Vous avez des projets, boss ?

– Et comment ! Par exemple, ce soir, je t'emmène en soirée dans un club tout ce qu'il y a de chouïa.

– Sans blague ! Il y aura du chambard ?

– Je ne sais pas, avoua Séruti. En tout cas, on essaiera de jouer cette partie au petit poil. Et tant pis s'il y a de la casse !

CHAPITRE XV

Séruti et Steve se contemplèrent dans la vaste glace du hall. Il étaient satisfaits des habits qu'ils avaient loués chez un costumier de Soho. Steve, surtout, n'en revenait pas de ressembler presque à un gentleman.

– Ces Anglais ont pas tellement tort de se foutre en habit ou en smoking pour un oui, pour un non, répétait-il à Séruti. Ça vous a une de ces gueules, visez-moi un peu, boss : je ressemble au prince de Galles ou à un duc de Machinchouette !

L'Italien lui dépêcha son coude dans l'estomac afin de le faire taire. Mais il s'avança d'un pas déterminé en direction de l'athlétique portier qui gardait l'entrée du club.

– Hello ! fit-il avec un petit geste désinvolte.

L'homme – une sorte de gorille sournois – l'examina sans aménité.

– C' qu' v' v'lez ? questionna-t-il.

– Entrer, expliqua paisiblement le gangster.

– Ouais, grommela le gardien, seulement faudrait voir à montrer vot' carte, m'sieur. P't'être ben que vous êtes inscrit, mais p't'être ben aussi que vous l'êtes pas. En tout cas, j'm'rappelle pas vot' tête, m'sieur. Alors, vous l'avez, c' te carte ?

– Sûr, dit Séruti.

Il mit la main à sa poche et en tira dix livres.

– La voici, ajouta-t-il en enfouissant le billet dans la main preste de l'homme. Et ce monsieur est avec moi.

Le portier se balança un instant d'une jambe sur l'autre.

– Une supposition, dit-il, que lorsque vous serez entré là-dedans, un mec vous tape sur l'épaule pour vous demander comment il se fait que vous vous y trouviez ; qu'est-ce que vous lui répondriez ?

– Que je ne savais pas que c'était un club privé et que mon ami et moi nous y sommes entrés juste au moment où vous étiez allé chasser un ivrogne…

Le visage inquiétant du portier s'éclaira.

– À la bonne heure, sourit-il, je vois que vous connaissez la vie.

– Tu parles, grommela Séruti, ce qu'on ne sait pas sur la vie pourrait s'écrire sur un confetti ; alors on peut entrer ?

– Gi !

Le gangster fit signe à Steve de le suivre et poussa la lourde porte capitonnée.

Un flot de musique douce, sucrée comme du sirop de fraises, les accueillit.

Le club se composait d'une vaste salle de cabaret avec tables, piste de danse et orchestre au rez-de-chaussée; de deux salles de jeux au premier. Le reste de l'immeuble, c'est à dire l'étage, était réservé aux bureaux et aux logements du personnel.

Séruti connaissait bien ces sortes d'endroits. Au fond, tous les clubs se ressemblaient, sous toutes les latitudes. On y rencontrait les mêmes types élégants, pleins de fric et désœuvrés, les mêmes filles aux décolletés extravagants, en quête d'un pigeon à plumer et qui poussaient le client au champagne... Il y avait les mêmes bonshommes graves derrière les tables de jeu et, à travers la foule, les éternels costauds au regard torve, chargés de surveiller le comportement de chacun.

Séruti et son acolyte pénétrèrent dans la salle du bas. Une chanteuse aphone y sévissait en agitant un voile de soie noire avec des mines inspirées. Ils se laissèrent guider par un maître d'hôtel jusqu'à une petite table située au fond de la salle dans une espèce de loggia.

– Whisky ! ordonna laconiquement Séruti.

– Et du bath ! renchérit Steve. Ça fait un bon bout de temps que je ne m'en suis pas administré une giclette dans le réservoir...

Ils attendirent une heure environ – le temps suffisant pour bien se familiariser avec les lieux et les habitants –, après quoi Séruti appela le maître d'hôtel.

– Dites donc, chuchota-t-il, la chanteuse de tout à l'heure, celle qui a envoyé *My love is your love*, comment est-ce, son nom ?

– Léonita Belle, répondit le maître d'hôtel.

– Comment qu'elle l'a balancée, la chanson ! apprécia Séruti en exagérant sa dévotion. Je ne sais pas si elle fait de l'effet à tous les hommes, mais je me sens mordu pour sa pomme.

L'interlocuteur de l'Italien eut un petit sourire supérieur. Ce sourire s'accentua encore lorsqu'il vit apparaître un billet de dix livres dans la main de Séruti.

– Dix livres, c'est toujours bon à ramasser, hé ? murmura celui-ci. Dix livres, c'est ce que je donnerais au petit futé qui m'indiquerait la loge de Léonita.

– La direction..., commença le maître d'hôtel, soudain grave.

– La direction, coupa Séruti, je l'envoie se faire cuire un œuf. Je m'en fous d'une façon totale, de la direction ; ce qui m'intéresse, c'est Léonita.

– À gauche de la scène, murmura le larbin, il y a une porte. Elle donne sur un couloir où prennent des portes numérotées. La loge de Léonita, c'est la 3.

– O. K., vieux, voici votre biffeton. Taillez-vous !

Séruti se tourna vers son complice.

– J'ai idée, Steve, que ça va être à nous de jouer. Voici ce que je décide : nous allons sortir par la porte que nous a indiquée le zigoto en queue de pie. Moi, j'irai faire un bout de baratin à la donzelle, histoire de nous ménager un alibi en cas de coup dur. Pendant ce temps, tâche de trouver une planque pour quelques heures. Si tu la trouves, fais-moi signe. Il faut absolument que nous nous fassions enfermer dans le club de façon à pouvoir perquisitionner à notre aise lorsque tout le monde aura gerbé.

– D'accord, dit Steve.

Ils se levèrent, rajustèrent leurs nœuds papillons et se dirigèrent le plus innocemment qu'ils purent vers la petite porte.

Ils profitèrent d'un tango qui plongeait la salle dans la pénombre pour l'évacuer par cette sortie privée.

Séruti, suivi de Steve, s'engagea dans le petit couloir. L'endroit était insuffisamment éclairé par une faible ampoule. Il dut battre son briquet pour pouvoir lire les numéros sur les portes.

– Voilà, souffla-t-il à Steve. Tu as tout pigé ?

– Parfaitement, je te reprends là… ou à notre table.

Séruti heurta la porte discrètement.

– Entre ! cria la voix exagérément rauque de la chanteuse.

Il ne se le fit pas répéter et pénétra dans une minuscule pièce meublée chichement d'une coiffeuse, d'un tabouret et d'un paravent. La belle blonde devait être derrière le paravent; un froufrou d'étoffes parvenait en effet de ce coin de la pièce.

– Une seconde et je suis à toi, Tom, dit-elle.

Séruti sourit et sortit son étui à cigarettes. Il finissait d'en allumer une lorsque Léonita sortit de sa cachette en boutonnant sa robe. Elle s'arrêta, une lueur courroucée parut dans ses prunelles, mais, le charme du gangster opérant, ce fut d'une voix assez accueillante qu'elle demanda :

– Qu'est-ce que vous fichez ici ?

– Je viens vous présenter mes hommages, assura Séruti en renforçant son affirmation par une courbette. Vous chantez divinement bien, Léonita, et je tenais à vous le dire...

La fille devint rouge comme une langouste court-bouillonnée.

– C'est gentil à vous, minauda-t-elle. Mais comment avez-vous pu accéder à ma loge ? Vous savez, notre directeur est intraitable sur ce chapitre.

– Il y a des accommodements avec le Ciel, soupira l'Italien. Lorsque j'ai décidé de souper en tête à tête avec une belle fille bourrée de talent, il faudrait quelque chose de plus fort qu'un tremblement de terre pour me faire changer d'avis.

– Vous êtes un garçon terrible, à ce que je vois ?

– Et vous êtes encore en dessous de la vérité, ma beauté.

Il s'avança vers elle.

– On ne vous a jamais dit que vous étiez la plus belle fille de Londres ?

– Si on me l'a dit, je ne m'en souviens plus.

Comme il lui prenait la main, la porte s'ouvrit et un homme du format d'un tracteur entra. Il était massif comme une armoire ancienne et son visage reflétait autant de sentiment qu'un fromage de Hollande.

– Qu'est-ce que c'est que ce ouistiti ? demanda-t-il sèchement.

Léonita se troubla et se mit à balbutier des mots incohérents.

– Je vais te dire, Tom…

Séruti jeta son mégot et l'écrasa lentement sous sa semelle.

– Ça s'appelle Tom, une espèce de bœuf ahuri comme ça ? dit-il à la chanteuse.

L'arrivant poussa un rugissement effroyable.

– Dis donc, petit homme, tu vas te faire scalper avant longtemps !

– Tu crois ? riposta Séruti.

En guise de réponse, l'autre fit un pas en avant et lui balança un crochet du gauche qui aurait envoyé la mâchoire du gangster à l'autre bout de la loge s'il n'avait eu la présence d'esprit d'esquiver.

Il leva la jambe droite et administra un terrible coup de pied au tibia de Tom. Le grand type hurla de douleur et recula afin de se frotter la cheville. Sans lui laisser le temps de réaliser, Séruti sortit son lüger de sa gaine et l'abattit, côté cross, sur le crâne du gros Tom.

– Et voilà comment on calme un excité, dit Séruti en le voyant s'écrouler. C'est ton Jules ? demanda-t-il à Léonita.

– Ça l'était, riposta la jeune femme. Je m'en voudrais de conserver une lavette pareille dans mon intimité.

Séruti la prit dans ses bras et lui donna un baiser grand format qui miaula sous les lèvres comme une scie musicale.

Lorsqu'il se recula, il eut la surprise de constater que Léonita lui avait subtilisé son arme et tenait le revolver appuyé contre son ventre.

– Fais pas le dégourdi, ordonna-t-elle d'une voix froide. Lève bien haut tes menottes, mon joli, et sors. Nous allons trouver le patron, j'ai dans l'idée qu'il sera heureux de faire ta connaissance.

– Pas mal joué, convint Séruti en levant les bras.

CHAPITRE XVI

Ils sortirent, l'un suivant l'autre, dans le couloir.

– Tourne à droite ! ordonna Léonita. Nous ne retournons pas dans la salle de spectacle, il va y en avoir ailleurs, et du chouette !

Docilement, Séruti emprunta la direction préconisée par la chanteuse. Il se mit à avancer lentement, mains levées. En passant devant une porte entrouverte, il aperçut Steve qui se dissimulait derrière un paravent. Il fallait à tout prix prévenir son complice de ce qui se passait.

Il ralentit encore l'allure et dit à haute voix :

– Ça me fait mal aux seins de me laisser fabriquer par une souris ! Comment que tu m'as eu avec ce revolver, beauté ! C'est malheureux, tout de même, d'être seul avec une faible femme et d'avoir le dessous !

– Finis, avec tes lamentations ! dit la fille. Et surtout, ne crois pas que tu m'attendris...

– T'as quoi à la place du cœur ? Un *ice-cream* ?

Ces quelques répliques avaient été assez éloquentes pour mettre Steve au courant de la situation. Il sortit de sa cachette sur la pointe des pieds et alla dans le couloir à l'instant précis où Léonita parvenait à hauteur de la pièce. De toutes ses forces, il jeta un coup de pied dans les jambes de la jeune femme. La chanteuse poussa un hurlement de douleur et tomba assise.

– Ramasse son soufflant ! dit Séruti.

Lorsque Steve eut exécuté cet ordre, l'Italien tendit la main à la fille et l'aida à se remettre debout.

– Si tu tiens à tes os, boucle-la ! fit à voix basse le gangster.

Se tournant vers son complice, il questionna :

– Tu as trouvé une planque ?

– Et une bath ! triompha Steve. La cave. L'entrée est tout à côté, je venais te prévenir lorsque...

– Ça va, descends-y cette grognasse et ne te laisse pas faire du charme. Moi, j'ai un autre pensionnaire à y faire inscrire.

Il retourna dans la loge de Léonita. Le gros Tom commençait tout juste à reprendre ses esprits.

– Lève-toi, intima Séruti.

Il prit à la volée le manteau et le sac à main de Léonita, car il tenait à ce qu'on la crût partie.

– On descend à la cave, expliqua-t-il à son adversaire. Si tu as le malheur de lever le petit doigt, je te transforme en pâte à beignets.

Ils s'engagèrent dans l'escalier qu'avait indiqué Steve. Les degrés étaient raides. Séruti envoya une formidable bourrade à Tom, ce qui eut pour résultat d'expédier celui-ci au bas des marches où sa tête éclata comme un fruit mûr.

– Vous n'y allez pas avec le dos de la cuiller ! apprécia Steve. Qu'est-ce qu'on va faire de ces cent kilos de barbaque ?

– Les laisser sur place. Ce type doit être quelque chose d'important dans la crèche. Sa disparition peut inquiéter du monde. On le cherchera et on le découvrira ici : c'est un accident, après tout !

– Ben, voyons.

– Où est la gosse ?

– J'ai trouvé une planque idéale : la cave à charbon. C'est pas rupinos, mais derrière le tas de boulets, nous serons peinards.

– Allons nous planquer, consentit le gangster. Auparavant, tâche donc de nous procurer une bouteille de champ', histoire de passer le temps agréablement.

Quelques instants plus tard, ils étaient installés dans leur cachette. Léonita avait été sérieusement ligotée et Séruti l'avait dûment bâillonnée.

Les heures passèrent, lentes et pénibles, car ils n'avaient pas beaucoup d'air. Séruti prêtait constamment l'oreille et, au moindre bruit, serrait le bras de son compagnon pour l'inviter à retenir son souffle. À un moment donné, il y eut des exclamations, puis de longs piétinements et ils comprirent que l'« accident » du gros Tom venait d'être découvert. L'aventure ne dut pas comporter de suites fâcheuses, car au bout de vingt minutes tout rentra dans l'ordre.

* *
*

À quatre heures du matin, Séruti se leva et, dans le noir, fit jouer ses articulations ankylosées.

– La boîte doit être fermée, maintenant, dit-il à Steve. Je vais opérer une petite reconnaissance.

Il remonta dans les étages. Le couloir des loges était plongé dans l'obscurité. Aucune musique ne parvenait plus de la salle de danse. Le club était silencieux comme un temple. Séruti se pencha dans les escaliers de la cave et poussa un petit sifflement modulé. Steve, qui connaissait ce signal, ne tarda pas à apparaître.

– En avant ! fit Séruti. La partie décisive commence. Jusqu'ici, nous avons eu pas mal de pépins, mais j'espère que tout va bien marcher, dorénavant.

Ils traversèrent la piste de danse et s'engagèrent dans le monumental escalier de pierre conduisant aux salles de jeux situées à l'étage.

– Vous avez une idée de l'endroit où nous allons ? questionna Steve à voix basse.

– Le bureau du type à la tache rouge… J'aimerais bien mettre le nez dans ses paperasses.

Au premier, le pesant silence qui est celui des grands locaux vides rendait l'obscurité plus lourde et déprimante. Mais les deux hommes n'étaient pas des petites natures.

Ils parcoururent les salles meublées seulement de tables à tapis vert et de chaises capitonnées, et parvinrent dans un autre couloir qui devait être la réplique de celui des loges à l'étage inférieur. À ce moment, il y eut un bruit de pas tout proche. Quelqu'un venait : deux hommes, à en juger par le double martèlement qui approchait.

– Planquons-nous ! chuchota Séruti.

Il prit son compagnon par le bras et poussa la première porte qui se trouvait à sa portée. Ils la refermèrent et retinrent leur respiration.

Les pas se rapprochèrent encore et un soulier heurta même le chambranle de la porte. Puis ils s'éloignèrent. Séruti songea alors à examiner l'endroit où ils venaient de pénétrer. Il s'agissait d'une vaste cuisine carrelée de faïence. Elle ne devait pas être utilisée, car il y avait des toiles d'araignée sur les batteries de casseroles et la cuisinière électrique était démantelée.

Le gangster s'apprêtait à quitter cette pièce lorsqu'il fronça les sourcils. Un bruit de moteur venait de se déclencher dans la cuisine.

– Qu'est-ce que c'est ? grommela-t-il.

– Vous inquiétez pas, boss, dit Steve, c'est le frigo. Ces vieux machins, vous savez, tous les j'sais pas combien, ça se déclenche, puis ça s'arrête et ça reprend…

– Curieux, apprécia l'Italien.

– Qu'est-ce qui est curieux ?

– Cette cuisine est désaffectée, et le frigo reste branché…

Il s'approcha du meuble monumental et constata avec stupeur que la porte en était fermée au moyen d'un solide cadenas.

– De plus en plus bizarre, fit-il. Essaie d'ouvrir, Steve.

Steve extirpa un canif de sa poche et se livra à un petit numéro de serrurerie. En un rien de temps le cadenas s'ouvrit. Séruti tira vivement la porte à lui et braqua le rayon d'une lampe de poche sur l'intérieur du frigidaire. Il poussa un petit ricanement sardonique.

– Qu'est-ce qu'il y a ? s'inquiéta Steve.

Le gangster s'écarta afin de permettre à son subordonné de sonder l'intérieur du meuble.

– Steve, dit-il, je te présente Peter Lanshill.

– Bon Dieu ! bégaya le compagnon de Séruti. Bon Dieu, vous en êtes certain ?

– Tu as déjà vu beaucoup de cadavres avec un pied en moins ?

– Il a un pied en moins ? Ah oui ! Les vaches, ils lui ont enlevé sa patte articulée, alors ?

– Il me semble.

– À votre idée, pourquoi qu'ils conservent la carcasse du mec ? Ils comptent tout de même pas le transformer en pâté d'alouette ?

– C'est un gros point d'interrogation, murmura Séruti. T'as ton revolver ?

En guise de réponse, Steve sortit de sous son aisselle un superbe Walter.

– Ôte le cran de sûreté, ordonna l'Italien, et suis-moi !

CHAPITRE XVII

Un rai de lumière filtrait de sous une porte au fond du couloir. Les deux gangsters s'approchèrent silencieusement, revolver au poing. Ils tendirent l'oreille. Un vague murmure leur parvint. Les deux hommes qui, quelques secondes auparavant, les avaient mis en état d'alerte, devaient discuter âprement, car le ton de leur dialogue montait parfois et des mots devenaient perceptibles.

Séruti colla son œil au trou de la serrure, mais la porte devait comporter une tenture car il ne vit rien.

– Allons-y carrément ! souffla-t-il.

Il fit jouer doucement la poignée de cuivre, le battant s'ouvrit légèrement. Alors l'Italien le poussa violemment d'un coup de pied en hurlant :

– Les pattes en l'air, là-dedans !

Steve et lui découvrirent un large bureau luxueusement meublé. Deux hommes y devisaient dans de confortables fauteuils en fumant d'imposants cigares.

L'un d'eux était grand, blond et arborait une tache de vin à la joue.

Les deux interlocuteurs parurent stupéfaits de cette intrusion. L'homme à la tache de vin leva en premier les mains.

– Qu'est-ce que cela signifie ? questionna-t-il.

Séruti éclata de rire.

– Voilà un garçon qui a la comprenette difficile ! s'exclama-t-il. On lui met un soufflant sous le nez et il demande ce que ça signifie !

Il fit signe à Steve de fouiller les deux hommes. Aucun d'eux ne portait d'arme.

– Vous pouvez vous asseoir à condition de garder les bras croisés sur la poitrine.

Lui-même prit place sur le bord du bureau.

– Je suis pressé, dit-il. J'ai assez perdu de temps comme ça. Afin d'éclairer votre lanterne, je vous dirai que c'est moi qui ai liquidé le docteur Brown, de K. Surtout, ne me dites pas que vous ignorez ce dont je veux parler, car je viens de mettre la main sur le cadavre de Lanshill.

L'homme à la tache de vin poussa un soupir.

– Pour le compte de quelle puissance travaillez-vous ?

– Vous occupez pas de ça, garçon ! Je boulonne pour une société privée, tandis que vous, vous êtes des espions patentés, pas ? On ne va pas se raconter notre enfance, la question n'est pas là... Ce que nous voulons, c'est la formule qui était cachée dans le pied articulé du chimiste. Vous étiez en compagnie de Brown lorsque vous l'avez liquidé ; vous avez fouillé toute sa cabane sans parvenir à mettre la main sur la formule... C'est par la suite que vous avez pensé au pied métallique du gars, et vous l'avez exhumé. Seulement, un cadavre c'est encombrant et difficile à planquer, alors vous l'avez amené jusque chez vous...

L'Italien s'interrompit, s'approcha de l'homme et, le saisissant par le revers de la veste, lui lâcha dans le nez :

– La formule ! Et vite ! Il y a eu pas mal de macchabs dans cette histoire. Je ne suis pas à un ou deux près.

Le compagnon de l'homme blond intervint. Il paraissait terrorisé ; c'était un personnage suiffeux au regard globuleux.

– Ne nous tuez pas ! supplia-t-il. Moi, je n'ai rien fait...

– Où est la formule ? insista le gangster en appuyant le canon de son arme contre la poitrine du gros type.

– Nous ne l'avons pas trouvée !

– Ouais, grinça Séruti, raconte-nous des idioties de ce genre, c'est le plus sûr moyen de te faire expédier en enfer...

L'homme à la tache de vin haussa les épaules.

– Il a dit vrai. La formule n'était pas dans le pied !

– Où est-elle, alors ?

– Nous n'en savons rien…

– Dites, boss, fit Steve, qu'est-ce que vous diriez d'une petite séance à la cigarette. J'ai dans l'idée que ça ferait de l'effet au gros ?

– Je vous en supplie, balbutia l'intéressé. Nous ne pouvons pas inventer quelque chose… La preuve que nous n'avons rien trouvé, c'est que nous avons conservé le cadavre dans l'espoir de découvrir un indice quelconque…

Il paraissait sincère; Séruti s'y connaissait en hommes. Il savait différencier les simulateurs des autres. Sa rage augmenta. Il se dit que tout était perdu, qu'il avait lutté en vain et que tous ses efforts n'aboutissaient qu'à cette déception. Il était un type fini. Traqué par la police britannique, il ne pouvait songer à regagner l'Amérique où ses complices l'attendaient.

– Vous avez conservé la patte du type ?

– Elle est dans mon coffre-fort, dit l'homme à la tache de vin.

– Montrez-la moi ! Et n'essayez pas d'attraper une arme, ça ne servirait qu'à vous faire perforer la carcasse. Steve, veux-tu tenir ton feu dans le dos de Monsieur pendant qu'il ouvre son coffre. Au moindre geste insolite, n'hésite pas !

Lui-même surveilla les faits et gestes du directeur du club. Mais tout esprit combatif semblait banni des pensées de l'homme blond.

Séruti prit le pied de métal et le posa sur le bureau. Il passa la main dans la cavité et constata qu'elle était absolument normale. Tout était du reste désespérément normal dans cet appareil. Il ne fallait pas une minute pour se rendre compte que le pied ne recelait aucune cache.

Séruti le balaya du bureau d'un geste rageur. Le pied métallique tomba devant ceux de Steve qui se baissa pour le ramasser. Il le tint un long moment et le caressa comme on le fait d'un petit animal.

– Bon Dieu, Boss ! bégaya-t-il.

– Quoi ? demanda Séruti.

Steve n'eut pas le temps de répondre. Une vitre de la fenêtre vola en éclats et un objet de forme ovoïde tomba au milieu de la pièce. L'objet éclata sans faire plus de bruit qu'un sac en papier que l'on crève. Un épais nuage gris se répandit dans la pièce. Les quatre hommes n'eurent pas le temps de réagir ; déjà, un vertige s'emparait d'eux. Ils tombèrent à genoux en se comprimant la poitrine, puis perdirent rapidement conscience et s'écroulèrent sur le tapis.

CHAPITRE XVIII

Lorsque Séruti reprit conscience, il constata qu'il ne se trouvait plus dans le bureau de l'homme à la tache de vin, mais était étendu sur une des banquettes capitonnées de la salle de spectacle. Ses trois autres partenaires était également entassés sur les banquettes. Comme lui ils poussaient des grognements et battaient des paupières.

– Je crois que ces messieurs reviennent à eux, dit une voix de femme.

– À eux et à nous, renchérit une voix d'homme.

L'Italien se mit sur un coude et, dominant le violent mal de cœur qui lui contractait l'estomac, regarda autour de lui. Il fut abasourdi en apercevant Miss Barbara Spage flanquée d'un grand vieillard à favoris qu'il estima être le fameux valet de chambre.

– Salut, grogna-t-il. Qu'est-ce que vous fichez là ? Ça n'est pas la police qui ?...

– La police n'a rien à voir dans nos affaires, trancha la jeune fille. L'heure du règlement de comptes a sonné, Séruti. Vous allez payer, et même payer très cher…

– Qui êtes-vous ? balbutia l'homme à la tache de vin qui avait recouvré l'usage de la parole.

– Agent S 38, de l'Intelligence Service, dit Barbara. Et voici la colonel Melwynk, mon père.

– Le larbin ! s'exclama Steve.

John Sutton eut un petit sourire.

– Ne vous fiez jamais aux apparences, dit-il en allumant un cigare.

Barbara regarda son monde et parut prodigieusement amusée.

– Voilà un bon bout de temps que nous sommes sur la piste de la section d'espionnage d'Europe centrale. Vous nous avez mené la vie dure, fit-elle à l'homme à la tache de vin. Surtout pour l'affaire Lanshill. Ce dernier avait négocié avec vous son invention, n'est-ce pas ? Les pourparlers n'ont pas abouti, alors vous l'avez supprimé. Mais comme il se méfiait, il avait caché sa fameuse formule et vous n'avez pu mettre la main dessus. Vous avez par la suite pensé au pied articulé et vous avez habilement kidnappé le cadavre… Nous n'aurions jamais su tout cela sans l'intervention de ces gangsters venus d'Amérique pour tenter d'obtenir la formule.

« Oui, dit-elle en se tournant vers Séruti, c'est grâce à vous que nous avons pu réussir ce coup de filet... Lorsque nous nous sommes évadés du bateau, nous avons passé la consigne à l'un de nos hommes pour qu'il permette à l'un de vos seconds de s'échapper (elle désigna Steve) afin de le filer. Nous pensions qu'il nous mènerait à vous et que vous nous mèneriez à la bande... car je croyais ferme en votre sagacité pour découvrir le réseau d'espionnage !

– C'était risqué, ricana Séruti. Très fragile, comme calcul, car c'est uniquement par hasard que j'ai retrouvé Steve.

– Mettons que la chance nous ait souri...

– Hum, pas tant que cela !

– Que voulez-vous dire ?

– Que votre affaire a bien été menée, puisqu'elle vous a permis de nous suivre jusque dans ce club et d'intervenir avec une grenade à gaz au bon moment. N'empêche que vous n'aurez pas la formule, poupée, et personne ne l'aura : Lanshill devait être un rude renard, il l'a tellement bien planquée que nous ne l'avons pas trouvée, ni les uns, ni les autres.

Il expliqua l'histoire du pied articulé vide.

– Nous avions tous fait fausse route, conclut-il. Il ne contient rien de rien...

– Peu importe, déclara le pseudo-valet de chambre. L'essentiel est que cette invention ne tombe pas dans des mains étrangères. Nos chimistes occupent depuis près d'un mois l'ancien laboratoire de Lanshill et essaient de reconstituer son invention d'après les éléments qu'ils y ont trouvés.

Il alla à la porte et fit un signe. Deux hommes athlétiques parurent.

– Passez le cabriolet à ces gens, ordonna le colonel-valet de chambre, et emmenez-les…

– Où nous conduisez-vous ? demanda Séruti.

– Vers un accident, lui dit Barbara. Vous avez tous commis des assassinats et si vous passiez devant un tribunal, vous auriez droit à la potence… Mieux vaut abréger les choses. Bon courage, messieurs !

Elle sortit de son sac un minuscule pistolet et l'appuya sur le ventre de Séruti.

– Voici mon heure à moi, dit-elle calmement. Après l'outrage que vous m'avez fait subir, ça n'est que justice.

Elle appuya sur la détente et le gangster tomba de la banquette en se tenant le ventre.

– Tu es impulsive, ma chérie, dit le pseudo Sutton en rallumant son cigare.

Les autres prisonniers semblaient hébétés. Leurs visages étaient couleur de cendres et leurs lèvres tremblaient.

Soudain, Steve déclara :

– Miss, peut-on faire un petit marché ?

– Hum, murmura le colonel, un marché, c'est

l'échange de quelque chose contre autre chose… Je doute que vous ayez une monnaie intéressante, mon garçon… Et d'abord, que voulez-vous ?

– Ma peau et ma liberté.

– Et vous proposez quoi en échange ?

Steve passa sa langue sur ses lèvres.

– La formule, dit-il dans un souffle.

Tous tressaillirent et les regards se concentrèrent sur lui.

– Oh, oh ! fit le maigre colonel en tirant sur ses favoris.

– Il bluffe, dit Barbara.

– Non, cria Steve, je ne bluffe pas ! J'ai trouvé la formule. Si je vous la donne, je pourrai filer d'ici sans être inquiété ?

– Si vous l'avez sur vous, nous n'avons pas besoin de traiter, il nous suffit de vous fouiller…

– Elle n'est pas sur moi. Là où elle est, vous ne la trouverez pas.

– Eh bien, parlez…

– Je pourrai sortir d'ici libre et vivant ?

– Oui.

– J'ai votre parole d'officier ?

– Vous l'avez…

Le gangster regarda le corps de son chef en frissonnant.

– Mon vieux père était aveugle, dit-il. J'étais tout môme lorsque l'accident s'est produit dans la mine…

– Votre vie ne nous intéresse pas, affirma Barbara.

– Laissez-moi parler. Mon père, c'était un mineur, mais il lisait, il lisait beaucoup. Quand il a été aveugle, il a appris le braille… Je l'ai aidé, ce qui fait que je l'ai appris aussi par la même occasion. La formule, colonel, je l'ai découverte : elle est gravée en braille sur le pied articulé de Lanshill.

Barbara bondit jusqu'au bureau et revint avec le pied.

– Cet homme a dit vrai, assura-t-elle. Touchez, père, on sent des aspérités tout autour du talon.

– O. K., garçon, murmura le colonel. Votre vieux père ne se doutait pas qu'il vous sauverait la vie en devenant aveugle. Filez d'ici et tâchez de quitter le sol anglais… Je ne veux plus vous rencontrer sur notre route, jamais !

Steve ne se le fit pas répéter deux fois. Une seconde plus tard, il avait quitté le club de la mort. Il se réfugia en France, puis, de là, passa au Canada comme soutier à bord d'un cargo mixte. C'est en cours de route qu'il raconta à l'auteur de ce livre l'histoire véridique et secrète du cadavre disparu.

DU MÊME AUTEUR

DERNIERS TITRES PARUS

Brigade de la peur
Fleuve noir, 2001

Des yeux pour pleurer
Fleuve noir, 2001

Croquelune
Fleuve noir, 2002

Au massacre mondain
Fayard, 2002

Saint-Genoul
Fayard, 2002

San-Antonio, Les Cochons sont lâchés
Hémix éditions, 2007

Du plomb dans les tripes
Fleuve noir, 2008

Emballage cadeau
Fleuve noir, 2008

Le Disque mystérieux
Fayard, 2008

San-Antonio, j'ai peur des mouches
Hémix éditions, 2008

San-Antonio, prenez-en de la graine
Hémix éditions, 2008

Les Scélérats
Fleuve noir, 2010
et « Pocket » n° 3051

Le Monte-charge
Fleuve noir, 1979, 2010
et « Pocket », n° 3060

C'est toi le venin
Fleuve noir, 2011
et « Pocket », n° 3066

Les salauds vont en enfer
Fleuve noir, 2011
et « Pocket », n° 3059

Le Pain des fossoyeurs
Fleuve noir, 2011
et « Pocket », n° 3054

La Crève
Fleuve noir, 2010

Le bourreau pleure
Fleuve noir, 2010

Puisque les oiseaux meurent
Fleuve noir, 2011

De l'antigel dans le calbute
Fleuve noir, 2011

San-Antonio, volume 8
Robert Laffont, « Bouquins », 2011

San-Antonio, volume 9
Robert Laffont, « Bouquins », 2011

IMPRESSION : CPI BRODARD ET TAUPIN À LA FLÈCHE
DÉPÔT LÉGAL : JANVIER 2012. N° 107425 (66906)
IMPRIMÉ EN FRANCE